總策劃◇簡媜

小說人物叢書

實學社

小說人物 4

秦始皇大傳

[卷四•飛龍在天]

作　　者／李　約
總 策 劃／簡　媜
主　　編／劉玲君
封面繪圖／陳　濤（秦始皇造型徵獎得獎人）
美術設計／黃淸在
發 行 人／周浩正
出 版 者／實學社出版股份有限公司
台北市師大路一八九號六樓
電話：(02)369-5491　傳眞：(02)365-6840
郵撥帳號：18380289　創社日期：1994.11.19

排　　版／正豐電腦排版有限公司
印　　刷／鴻柏印刷事業有限公司
電話：(02)365-5808

總 經 銷／吳氏圖書有限公司
電話：(02)303-4150　傳眞：(02)305-0943
法律顧問／蕭雄淋律師
電話：(02)367-7575　傳眞：(02)369-2525

初版一刷／一九九五(民84)年三月一日
初版五刷／一九九五（民84）年四月一日
ISBN／957-9175-05-5(平裝)
957-9175-11-X（精裝）
定　　價／250元（平裝，一册。）
2000元（精裝，全五卷，不分售。）

行政院新聞局局版臺業字第6433號

【小說人物4】

秦始皇大傳

李約◉著

一個出版社的夢

〈小說人物〉叢書出版緣起

何飛鵬

歷史是文明的基石，亦是永恆智產。它既以時空爲經緯，標示一個民族自萌發而壯闊的記憶長牆，又允許現代人超越種族、國界與語系，展開多面向的研發與轉化。我們相信，歷史不是沉重之軛，它所累聚的巨大寶藏，恰能爲一個追求活化和轉型的社會帶來智識能源與視野格局。歷史如鏡，作爲一個出版者，我們願意秉持謙恭之心與雍容大度的胸襟，邀集讀者一起與我們巡視歷史，用現代的眼界與識見，觀歷代興衰之理，察亂世與治世之律，窺文明躍進之道，析人性慾求之則，更追蹤億萬生靈於他們僅有的時代何以遭逢塗炭？何以安享昇平？而這一趟尋訪，當有助於提高境界、拓展視域，藉而遠瞻我們的未來，啓動轉捩之鈕。

實學社開闢〈小說人物〉叢書，即是落實這種出版理念，鎖定歷史上具有決定性影響的人物，他們啓動了那一代的關鍵之鈕，或盤整亂世，或創發新紀，或誤觸機括、燎成惡局。無疑地，他們已成爲後世眼中震古鑠今的典型人物，其才略與智謀、格局與氣度，甚至性格特質，並未隨著時間而灰滅，在現代社會、不同的領域裡，俯拾可見這些典型人物特質的再生與分化。所謂鑑古知今，即是解碼。

〈小說人物〉叢書企圖透過現代小說家之如椽大筆，以史實爲藍圖，鋪設架構，馳騁想像，重塑其形貌與特質，用生動活躍的文采使他們所置身的那一段歷史復活，讓讀者在具有親和樂趣的閱讀中，各有斬獲。

實學社更希望〈小說人物〉叢書的經營，能引動國內更多優異作家共同營運出歷史小說類型創作的高峰，「百萬羅貫中歷史小說創作獎」的舉辦，即是我們誠懇的邀請函。作爲一個出版者，實學社願意構築一個歷史小說的大舞台，培育並等待經典的誕生。

我們相信，這個夢想會實現。

秦始皇大傳

【目錄】

4 飛龍在天之卷

秦始皇大傳〔4〕

飛龍在天之卷

第19章

泰山封禪

1

秦王政坐在殿上，殿階下分班站著文武百官，丞相王綰、國尉尉繚、廷尉李斯、御史大夫馮劫分別排在最前面。

秦王政如今已經是四十歲的人，歷經戰爭和政爭的磨練，無論心智和外表都達到成熟的最高峰。

他仍然是長身玉立，長目，隆準，龍眉修長入鬢，但額上已出現皺紋，臉上的稚氣完全消失，陰鷙之氣更深。留上五綹短鬚後，臉形變得更方，下巴顯得更爲突出，臉上神情威嚴而肅殺。

他今天穿的是一件新式樣、新縫製的黑色王袍，上繡彩色金龍，頭戴通天冠，雙手執著玉圭，完整的一副天下共主模樣。

他威嚴掃視了一下殿內群臣，用他狼音豺聲的特殊嗓音說：

「如今六國滅絕，天下一統，先父王希望宇內永久和平，不動刀兵的願望，終於在祖宗保佑及眾卿家的協助下由寡人完成。既然天下情勢全變，假若不改名號，顯不出成功，也無法和前代作區分，更不能讓後代明白，一切都是在寡人和眾卿家手上作新的開始，所以今天我們要先議定帝號。」

首先是個性較保守的丞相王綰出班稟奏：

「三皇五帝名稱上是天下共主，實際上本身佔有的領土不過方圓千里，而自商周稱王，才真正擁有天下，所以『王』的稱號最好。同時，諸侯初破，燕、齊、楚都隔中央太遠，不封國立藩，恐怕鞭長莫及，難以治理。周所以能維持八百年，宗法和分封佔了很大的功用，臣認爲還是依周制比較好。」

秦王政面露不悅的說：

「寡人要的不是商朝七百年或周朝八百年的天下，而是要萬世永傳。而且商周封建是天下兵禍的根源，我們怎麼能再蹈覆轍！這件事稍後再議，先討論帝號的事。」

王綰還想爭辯，但見到秦王政銳利目光中所透露的厭惡，他不敢再爭下去，不過他在心裡想——怎麼四十歲的秦王和十幾二十歲的時候完全變了樣？他以往希望群臣發言，就是不合意也會聽完，也不會率直反對，而是利用別人的反對來打消，最後才說出他的結論。絕不會像今天這樣，當著群臣的面前指責他這個老丞相！他變了！

這時，廷尉李斯帶著滿臉的諂笑出班啓奏：

「昔五帝擁有領土不過方圓千里，而且諸侯是否臣服，是否來朝，天子都不能制。如今陛下興義兵，誅殘賊，平定天下，海內都已成爲郡縣，法令由中央統一，這是自上古以來從未有的事，所以據實說來，陛下功業爲三皇五帝所不及。臣曾與博士們討論過，大家認爲，古有天皇、地皇、泰皇，而泰皇最尊貴，臣冒死建議王稱『泰皇』。」

秦王政笑了笑，沉思一會，開口說道：

「廷尉所言不錯，但稱『泰皇』仍舊與以前分別不出來，依寡人看，三皇五帝合稱最好，今後王號就改爲皇帝，眾卿家認爲如何？」

「陛下聖明，這樣更可以突顯一切都是自陛下開始。」李斯躬身讚美。

群臣當然是一片阿諛聲。

秦王政不動聲色的說：

「就這樣吧！寡人爲始皇帝，後世以數計算，二世、三世至於萬世，傳之無窮。另追尊莊襄王爲太上皇。」

群臣一陣歡呼和恭賀。

此次是御史大夫馮劫出班，他啓奏說：

「爲了表示一切與古制不同，臣冒死建議，除了帝號以外，有關皇帝的稱謂也應更新。臣建議天子自稱『朕』，其餘人不得再行僭用，同時改命爲『制』，改令爲『詔』。」

「可以，就照御史大夫的建議，」秦王政點點頭說：「朕聞太古有號而無謚，中古才生有號死有謚，譬如先王在世時號莊王，死後謚襄，名之為莊襄王，這種做法是以子來評議父親，群臣來議論先王，乃是極其不妥的事，今後皇帝稱世，謚法就可以取消了。眾卿家認為如何？」

群臣又響起一陣諂媚聲，異口同聲說：

「陛下聖明，見解為臣等所不及！」

接下去，秦王政又交議封建和設郡、統一度、量、衡制度，以及車同軌和書同文字的事。議定後再召開國是會議議決。

於是，秦王政改稱秦始皇帝，簡稱為始皇。

2

過了些日子，始皇又召集丞相、國尉、御史大夫及有關大臣開國是會議，與會的人全經過充份的準備，在會議上引經據典或是發表自己獨特的看法，最後由始皇做成決定。

議決事項如下——

一、有關立國制度：

・根據太史與陰陽家研究的推論，以周爲火德，故一切以赤色爲尊貴；而秦代周德，是以水尅火，從其所不勝，因之秦的德性是水。於是改一年自冬季十月開始，十月一日爲一年首日。

・衣服、旌旗、旄節，皆以黑色爲之，數則以六計算，兵符、節符、法冠皆六寸，車輿長六尺，以六尺爲一步，皇帝車輿用六馬。

・改河水（黃河）名爲德水，以爲水德之始。

・凡事皆取決於法，不講求人情恩義。

・天下百姓改稱爲黔（黑）首。

二、有關國家行政制度：

・封建諸侯是以往天下戰禍不息的根源，今後不能再蹈覆轍，不再建封自己兒子爲諸侯，象徵始皇的公正沒有偏心。

・如今秦國版圖東至海及朝鮮，西到臨洮、羌中，南抵南荒野蠻之地，北據德水爲塞，以陰山和遼東爲界，所以皇帝治國要能如手之使臂，臂之使指，必需有完美的行政組織。

·中央行政組織以皇帝爲首，不受法令限制，可隨時交議立法或自行立法。

·中央政府首腦分爲三公及諸卿，三公爲——

丞相：輔佐皇帝處理政務，總領百官奏事，統理地方上計考課，任免中低級官吏，主持朝議。

御史大夫：掌理監察，輔助丞相，又稱爲副丞相。

太尉：主管軍政，在軍令方面爲皇帝兼統帥的參謀長，發兵與將軍任命，由皇帝親自以符節行之。

諸卿爲——

奉常：掌宗廟禮儀。

郎中令：掌宮殿門禁，並統領在殿中侍衛的諸郎官。

衛尉：掌宮門屯衛兵及宮殿安全。

廷尉：掌刑法，並統率全國郡縣亭里尉，形成嚴密的司法網。

治粟內史：掌國家糧穀財貨。

典客：掌安撫及處理歸順蠻夷事務。

宗正：掌皇家宗室事務。
太僕：掌皇室輿馬。
少府：掌皇家私有的山海池澤稅收，以供奉皇室。
並權設——
將軍：征伐時任命，平時則鎮撫新佔領地，不需要時召回歸府。
博士官七十人：掌管圖書文籍，並備皇帝顧問及參與朝議。
太史：掌史實記載、天文地理報告及其他有關國運吉凶的預測。
・地方行政組織方面，共分天下為三十六郡——
三川、河東、南陽、南郡、九江、鄣郡、會稽、潁川、碭郡、泗水、薛郡、東郡、瑯琊、齊郡、上谷、漁陽、右北平、遼西、遼東、代郡、鉅鹿、邯鄲、上黨、太原、雲中、九原、雁門、上郡、隴西、北地、漢中、巴郡、蜀郡、黔中、長沙與內史（秦國本部）。
地方政府則有——
1. 郡：
郡守：最高首長，掌一郡政事。

郡尉：掌兵役、軍訓及刑法緝盜。

監御史：由皇帝直接派遣至各郡，監察郡守及郡政。

2.縣：萬户以上設縣令，不滿萬户設縣長，爲縣最高首長，綜理政務。

縣丞：主管司法。

縣尉：主管軍事及緝盜。

3.鄉：

三老：掌教化。

嗇夫：司獄訟及徵收賦稅。

游徼：巡禁盜賊。

4.亭（每鄉轄十亭）設亭長。

5.里（一亭十里）設里長，轄百家。

並行互相糾舉連坐之法。

· 劃一度量衡，一切以秦制爲準。

· 統一幣制：全國通用兩種貨幣，黃金爲上幣，銅錢爲下幣。

· 統一文字：命廷尉李斯主持這項工作，依據秦文「大篆」整理簡省爲「小篆」，令全國通用。（後獄史吏程邈又根據民間流行之簡體字，整理歸納成更爲簡便的「隸書」，通用於獄政通信和私人民間。）

三、爲維持永久和平，應採取的重要措施：

・銷毀兵器：沒收全天下民間兵器，聚集在咸陽，鑄成鐘等實用器具。並鑄成十二個各重二十四萬斤的大「金」人，放置咸陽宮廷內，作爲這項行動的象徵。

・毀平國內原諸侯所建長城及軍事要塞，只保留燕、趙爲防禦胡人入侵的長城，以防止亂民據用造反，同時剷除交通障礙。

・掘通前各國爲軍事需要所築川防，疏浚以後作爲水路交通及農田灌溉水利之用。

・遷移天下豪富十二萬户至咸陽，一方面加以監視，使他們不再在本土產生分化作用，另方面也可充實首都財富及繁榮。

・建立馳道：以首都咸陽爲中心，建築輻射通全國的「馳道」。主要幹線有兩條，一往東通往趙、齊海邊，一向東南通往原楚國及新收的南荒地區，以利通訊和軍事需要。

以上議決始皇交丞相督導百官一一執行。

3

秦始皇帝二十七年，始皇巡視隴西、北地兩郡，出雞頭山，過回中。在歸程中，發現渭水畔風景絕美，於是下令在渭水之南建築信宮，後又改名為極廟，意為至高無上之宮殿。並由極廟挖通驪山到甘泉建前殿，再築兩邊都有圍牆的甬道直通咸陽，始皇車馬在甬道內行馳，民眾都看不到。

在這次巡視後，始皇發現道路崎嶇難行，對公文傳遞、軍隊調動、運輸補給、民間貿易都影響太大，於是下令加快建築全國馳道。

所需人力除一般服勞力義務的民眾外，更大量使用囚犯及原各國的戰俘、貴族和工匠。

二十八年，七十博士集體上奏：

「始皇帝上承天意，下得民望，平定海內，放逐蠻夷，日月所照，莫不賓服，今既登極，尚望按照古制，行封禪之禮……。」

始皇見到奏章，在南書房召見博士中最資深者七人，討論封禪及望祭山川事宜。七人中有三人來自舊周，有四人來自原魯國，兩派又起了爭論。

舊周派博士主張在甘泉山行封禪之禮，以示秦地爲天下之本。原魯派則堅持古代聖王都在泰山舉行封禪，這個傳統不能破壞。

他們正爭論不休時，始皇只在一旁微笑，不加制止也不加評論。負責招待的皇后，實在看不下去七位老博士爭得口沫橫飛、臉紅耳赤的樣子，也聽不懂他們引經據典的酸溜溜理論，最後她解圍的問：

「哀家對封禪儀式尚不十分明瞭，哪位博士可試爲解說？」

她這一發問總算是平息了爭論。七人中最資深的博士，八十二歲的原魯派魯青對答說：

「封者祭天也，禪者祭地也，合爲封禪即是人君祭告天地的儀式。用意在向天地稟告，人君承天命治理天下生民，並祈求風調雨順國泰民安，自古聖君承受天命，都在泰山舉行。」

皇后看到鬚眉皆白的老博士牙齒透風，說得辛苦，心中不忍，等他說到一個段落，喝茶喘口氣的時候，她又轉向較年輕的舊周派領袖，七十二歲的姬周說：

「哀家小時曾經過泰山，雖覺其雄偉壯麗，但爲什麼封禪歷來都選在此？」

滿頭白髮的姬周躬身回答說：

「據史載及陰陽家傳說，泰山高四千九百丈二尺，周圍兩千里，其中蘊藏芝草玉石、長津甘泉及仙人室，又有地獄六處，曰鬼神之府，從西而上，可見下有洞天，周圍三千里，乃鬼神受考謫刑罰之處。傳言泰山近天也通地，所以歷代封禪都選在泰山。」
這時魯青已喘過一口氣來，他又接著說：
「在泰山築壇以祭天，表示在極高的泰山再加高，可以接近上帝；在泰山之麓的梁父小山平地爲墠，以示地更爲寬廣，然後用以祭地，以示與地母更爲親密。凡墠皆十二丈見方，壇則高三尺，階三等。祭祀皆用醬色酒和煮熟的魚，不用三牲。」
久在一邊沒開口的始皇徐徐言道：
「封禪以什麼季節最好？」
眾博士面面相覷一會，最後由魯青回答說：
「臣等不敏，尚未見過書上有記載。」
「那就是說沒有限制，朕可以自行決定了？」始皇撚著短鬚微笑：「素聞暮春初夏，泰山景色最好，如今準備動身，正好趕得，各位博士有什麼意見？」
「陛下眞是聖明，凡事都能創新，自有定見！」眾博士躬身一致讚揚。
接著他們又討論隨行博士人選問題，決定由七十位博士中選較年輕力壯者隨駕，原魯派及舊周派各三人。
始皇並裁決，這次首次巡幸東部地區，需要注重威儀，凡事以新制行之。

譬如，皇帝穿黑色錦繡龍袍，用黑色旌旗旄節，御用轀輬車以六匹純黑馬拖拉，主御車外加備車共六部，隨皇帝高興使用，副車則為六六三十六部，乘隨行近侍及大臣。

並以郎中六百近衛皇帝，六千虎賁軍護衛車隊，六萬精銳部隊隨行，以應付新收齊楚之地有所不測。

4

始皇去時路線為出函谷關，經原為韓、魏的郡縣向東，直指泰山。

大隊人馬浩浩蕩蕩的行走在新修築好的馳道上，上自始皇本人，下至群臣和兵卒，莫不覺得征服天下的滋味眞好。

新完工的馳道寬五十步，每隔三丈種一棵樹，路基全用碎石，兩旁排水良好，再大的雨立即可乾，不會留下泥濘。而始皇預定經過的路段，更是早一天就派民眾打掃乾淨，再鋪上細黃沙，車馬過處，連點飛塵都沒有。

每經過一個城市，地方官員在十里長亭前跪迎，進城的城門及街道兩旁，黔首皆夾道跪接，齊聲高呼萬歲。

駐驛以後，始皇並不急著休息，而是歡宴地方父老及輿論領袖人物，徵求他們的興革意見。

但這些人都是由地方官員刻意選出，他們幾乎是眾口同聲讚揚始皇聖明，痛詆過去君王大臣的昏庸荒淫；歌頌秦法的公正嚴明，大罵以往官員的貪贓枉法。

他們卻隱瞞了民眾一時不慣嚴厲秦法，動輒得咎，觸及法網而不自知，而中央派來的執法官吏，好的以苛察爲嚴明，判罪重爲公正；不肖的官吏更藉此斂財，欺壓剝削百姓，弄得下層民眾個個叫苦連天。

再加上戰爭雖歇，但修馳道，開河渠，毀城垣，平要塞，在在都需要人力，黔首雖兵役減少，勞役卻更加重，農民工匠幾乎沒有時間和餘力來重整被戰爭破壞的家園。農村人口大量流入城市，任由田地荒廢，是爲了逃避沉重的田賦和徭役，也是想在城市謀求溫飽。

始皇一開始聽到這些歌功頌德的話，還有點懷疑和感到肉麻，但每到一個地方，這些地方父老和輿論領袖人物都是如此說，不由得他不相信，聽慣了阿諛奉承，一天不聽，就像缺少點什麼。

好在他這次帶的大臣是廷尉李斯領班，他總會在適當的時機說出：「陛下聖明，所見創新獨特，非臣等所能想像！」

駕車的趙高，也總是在他有所懷疑的時候，爲他一言「解疑」。

譬如有次，轀輬車正緩緩行進在馳道上，始皇想起一路上地方父老的歌頌，總覺得不太對勁，難道地方官員都是這樣廉潔正直，就沒有一個不肖的？難道勞役如此重，黔首就沒有一個有怨言？難道秦法素以嚴峻出名，加在魏齊等地散漫慣的黔首身上，一下就這麼習慣？

他忍不住將心中的疑慮告訴趙高，趙高一面平穩的駕著車，一面諂笑著說：

「陛下天降聖明，識人立法都是別具慧眼，豈是一般君王所能比的？用人當然都是廉直稱職，立法必然放之四海皆準，不會與當地黔首扞格不入，自然人民皆樂於遵守！」

天降聖明？不錯，除了天降聖明，誰能在短短十年間滅六國，統一四海！當然他做的無論什麼都能上合天意，下順民情！到目前為止，他做的哪一件事不是為黔首謀福利？哪一件不是為了要開萬世太平？

黔首看情形似乎都能體會他的德意——這一代辛苦勞累點，犧牲奉獻點，後世萬代子孫都會享受到這一代留下的成果。

他本身不就是在日以繼夜的如此努力嗎？

他看趙高是越來越順眼了，他猥瑣的神情引發他更多的憐惜，這個和他同年同月同日同時生的幼時玩伴，他應該對他好點，他們家欠趙高家太多。

「趙高，」始皇有次按捺不住心中的憐憫，終於帶點感情的說：「以後御車的事另外找個人做，胡亥不小了，已該學習政事，你就負責教他刑名獄政之學罷！」

「奴婢官居中車府令，能爲陛下御車是奴婢的榮譽，至於教公子刑名獄政，與御車並不衝突，奴婢實在不放心別人，還是奴婢親手駕御才能心安。」趙高誠懇的說。

始皇直接的反應是——看趙高多愛朕！中車府令下轄這麼多的車馬御者，他爲了朕的安全，寧可親自操此賤役。

但趙高心中的想法卻是——只要我爲你駕車，我隨時能了解你的一舉一動，再加上南書房的管理，我等於掌握了你——也就是天下的一半。

5

始皇一行抵達鄒城，召集當地儒生上嶧山立石，刻下頌讚秦德的石碑，然後下山討論封禪及望祭河川的儀式。

這時候，始皇帶來的六位博士和當地十多位儒生又起了爭議。

身穿寬大儒服，頭帶高聳儒冠的魯儒生共有十二人與會，帶頭的儒生鄒成五十來歲，頭髮早白，臉色紅潤，稱得上是鶴髮童顏，說話時中氣十足，聲如洪鐘，言詞犀利，處處逼人。他斬釘截鐵的說：

「按照古制，天子行封禪之禮必須步行上山頂，所以經過這麼多年這麼多天子的封禪，泰山仍然沒有車道。」

這次始皇帶來的六位博士，乃是以舊周派姬周領頭，他雖然已七十多歲，仍舊是長身玉立，風度翩翩，遠看上去如五十多歲的人，只是滿臉皺紋甚深，白髮更為稀疏，挽髻都嫌勉強。他慢斯條理的爭辯說：

「老朽翻遍《周禮》、《儀禮》和其他古籍，也沒見著這項規定。再說，從泰山下至山頂共一百四十八里零三百步，要是走路，像我們這裡的人有幾個能走上山頂？」

其實這兩派人所爭的並不完全是儀式問題，裡面還含帶著誰來主持這項儀式。

鄒成的這班當地儒生，年齡都不超過五十歲，自從秦滅六國後，法家抬頭，儒家式微，專門為別人主持生喪婚嫁、祭祀天地祖先大典的儒生，收入大為減少，社會地位也一落千丈，不得不靠農耕漁樵作為副業維持溫飽，因此個個鍛練得身強力壯，上泰山有如履平地。

反觀這些隨始皇來的博士，年紀最輕的也超過六十，幾年來在咸陽養尊處優，除了白首窮經，為皇帝解答一些典故儀式上的問題外，儒家六藝詩、書、禮、樂、射、御中的御車射箭運動，早就碰也沒碰過了！當然一個個年老體衰，如何能步行上一百四十八里零三百步的泰山頂？

他們上不去，當然會由魯儒生司儀。

同時，泰山爲天下聖山，尤其在齊魯人眼中更是天下群山之主，所以魯國孔子就有「登泰山而小天下」的豪語。始皇要是帶領群臣驅車輕易而上，泰山如何顯得尊貴和偉大？只有經過千辛萬苦才能接近的東西，才顯得出它的神聖和神祕，也才會受到人們尊崇。

因此，他們一定要堅持秦始皇一步步的走上山頂，齊魯雖已亡國，受秦統治，但這唯一留下的聖地，必須要他尊敬膜拜。

六位博士和十二位儒生，紛紛反覆引經據典辯論，整整一個下午都辯不出結果來。

歸納所有儒生意見不外乎是：

「泰山是聖山，只有在這裡，人才能接近上帝，爲表示對上帝的尊敬，不論任何人都得一步步走上山頂，否則可能會見不到上帝，聽不到上帝的指示，更嚴重的可能會因爲輕慢招致上帝的憤怒，想祈福卻適得其反！」

而歸納六位博士的意見，結論是：

「儒家古籍對任何祭祀儀式都有詳細規定，獨獨沒記載這一項，可見必須步行上山的說法，乃是後人揑造的，作不得準，也就不必遵守。」

始皇原來召集諸儒生的用意，除了討論封禪祭祀河川的儀式外，也想聽聽齊魯的風俗民情和歸秦後的反應，想不到這一個簡單的主題就整整耗掉一個下午。

他聽到自己肚子已餓得咕嚕作響，而這些老先生卻爭論不休，似乎並不餓。他想，以後召集這些人來議事，應該讓他們辰時空肚子就開始，肚子餓，引經據典會少些，議程也會縮短些。

終於他忍不住要雙方停止辯論，他自己下了個簡單的結論：

「泰山爲上帝所居聖山，朕爲天子，並不是上帝的奴隸。兒子拜謁父親，自當乘車馬直達堂前，然後下車馬，上堂跪拜父親。因此，朕決定，修馳道直達山巔，再築石階至山頂設壇處，朕步行那些石階，也表示了子對父的禮敬！」

「恕臣等不能奉命，泰山爲天下之至聖，要行封禪之禮，必須步行！」鄒成還想力爭。

始皇色變，但隨即按捺下來，他不怒反笑的說：

「先生怕上帝降禍，就不必隨朕上山，封禪儀式由姬周擔任司儀。」隨即他向侍立身後的趙高說：

「傳詔地方官，命他徵集民伕，在二十天內將原道路拓寬，能通車輛！」

「遵命！」趙高恭應。

六位博士喜形於色。

十二位魯儒生個個垂頭喪氣，內心燃燒著憤恨。

6

始皇帶了李斯及六位博士、六百名郎中、六千名虎賁軍上山，到達中途又將六千名虎賁軍留下擔任警戒，他只帶著六百名郎中和李斯驅車來到山顛。再前面就是通往山峰頂的石階，李斯、郎中不再上去，留在原地等候。

六位博士隨同始皇一步步爬上石階到達山頂，按照儀式祭拜完畢，六位博士再度下來，和李斯等人會合，只留下始皇一人在祭壇前，他要在上面待一天一夜，祈禱並接受上帝的默示。

他十天前即行齋戒沐浴，祭祀的當天更是禁食，只飲點清水，他的感覺是——開始時肚子雖有點餓，上山後頭腦卻越來越清新。

他跪伏壇前，祈禱了一會，總感到自己意志不能集中，當然也就發現不到什麼感應。

他站起來繞著土壇走了幾圈，眼看到腳下的層層群峰，面拂著陣陣強勁的山風，他不禁想起了孔丘所說的：「不知生，焉知死！」以及中隱老人所說的：「鬼神是種信其有就有，信其無即無的東西」。只是，能夠眞正相信的人有福了！因爲他在活著的時候，會感到有種巨大的力量在幫助他、支持他，而面對死亡的時候，他會認爲死亡後面展開的是另一個無窮無盡的生命！

但老人又加上了一段話：

「但據我所知，沒有幾個人是眞心相信而毫無一點懷疑的，因此鬼神之說，只有增加人對生命的恐懼和不可知，你無法肯定這生以後是否有來生，也不能確定自己的努力是否能決定自己的命運。」

可是在始皇自己現在想來，鬼神應該是些智者用來恐嚇欺騙愚者的手段，下者用鬼神來斂財，上者用鬼神來合理化他們的統治權力。

他沉思了一會，頭都想痛了，沒有博士們所告訴他的應有感應。他們說，所有從泰山封禪回去的君王都告訴別人說，他們聽到上帝對他們說話，告訴了他們治國之道。爲什麼他未時上來，現在已是酉時，仍然沒有一點感應？難道上帝眞的怪他不該乘車上山，還是他祈禱時心不夠誠？

他再度跪到壇前，閉上眼睛，凝聚意識，喃喃祈禱：

「上帝，假若我眞的是祢的兒子，我是承祢的命代祢治理天下兆民，求祢指示我，對我說話！」

跪伏很久，他再睜眼抬頭，整個心靈爲眼前的美景所吸引溶化。

他所在的頂峰四周，完全爲雲海所淹沒，像棉絮，更像白色浪花，隨著山風勁吹，洶湧澎湃，群峰有的全部蓋住，失去了蹤跡；有的露出峰頂，就像浮現在大海中的島嶼。更奇妙的景致是，在他頭上還有雲層，偏西的太陽從上面雲層縫隙中照下來，將雲海染成了粉紅。

「生命多美！」他忍不住讚嘆。

「生命多短暫！」想起在邯鄲的童年，只不過是轉眼間，自己卻已步入走下坡路的中年，他又不禁嘆息。

太陽逐漸下沉，東方已是暮靄凝聚，西方也只剩下落日所留下的一點餘暉。

「過不久，我就會像落日一樣沉沒！」他喃喃著說出口：「再多的努力，再大的成就，過不久就會和這片壯麗的雲海一樣，飄散得無影無蹤！但是，太陽明天會再起，雲海又會在凝聚出現，而我嬴政呢？」

突然間他心上充滿遺世獨立的蒼涼，他不知不覺的哭了，淚濕透了衣襟。

他看風景感懷，不知在什麼時候，竟就跪伏在祭壇前睡著了。

不知道睡了多久，也不清楚他是否眞的醒來，他神情恍惚的眺望四周——天上烏雲密佈，見不到一點星光，四周也是一團黑，彷彿這些重山峻嶺只是一幅山水畫，在他睡著的時候被人偷走了。

突然天空閃起雷電，閃電像一條條銀蛇，扭曲著衝上天，雷跟著轟隆隆的響。

他終於身心都有了感應——一種充滿驕傲卻又自卑的感覺。他自卑，因爲和周圍宏偉巍峨的群山相比，他顯得多孤獨，多渺小無力；他驕傲，是由於他知道，眼前和看不到的無限山川大地都是在他的統治之下！

又突然，他彷彿聽到雲端有聲音說：

「我將天下兆民都交給你，託你牧養，你要盡心盡力照顧他們！」

「我不是已盡心盡力了嗎？」他放大聲音喊，但怎樣也蓋不過這個聲音的餘音。

「你是我的愛子！我的驕子！我藉你的手統一宇內！」

「我已經稟承祢的旨意做到了！」他自傲的狂喊。

「你是我的愛子！我的驕子！」

雲端不斷重複這句話，他提出很多問題，天上響著的仍然是這句話，彷彿不是在和他對話，而僅僅限於單方面的宣示。最後，聲音和雷的餘響一樣漸行漸遠，始皇想把握住機會問他最想問的兩個問題，他竭盡全身的力氣吼著：

「請明示我能代祢牧民多久？秦是否能萬世不替的傳下去？」

「你是我的愛子！我的驕子！」仍舊是這個聲音，越來越遠，越來越模糊，最後完全消失。

更突然的，一道眩目的閃電亮起，震耳欲聾的雷聲似乎就響在他身邊。

他不知是昏倒還是又睡著了，也不清楚他自己是否眞正醒過。

等到他再醒來時，發覺自己斜靠在五棵松樹下，天正下著傾盆大雨。李斯恭身向他解釋：「因爲天閃響著雷電，臣不放心，帶人上去看，發現陛下就跪伏在祭壇前睡著了。」

「你是我的愛子！我的驕子！」這個聲音猶在他耳中像雷一樣響著。

爲了五棵松樹幫他和部份從人遮了風雨，他封五棵松樹爲五大夫。

他從此相信，他是天之驕子，他不但要管人，而且要管宇內一切生物、無生物，甚至是鬼神！

7

下得泰山後，始皇又率領群臣及博士在梁父山開地爲墠行禪祭禮，並命李斯作碑文交齊郡郡守刻於泰山石碑上，文曰——

皇帝臨位，作制明法，臣下修飭。二十有六年，初併天下，罔不賓服。親巡遠方黎民，登茲泰山，周覽東極。從臣思迹，本原事業，祗誦功德，治道運行，諸產得宜，皆有法式。大義休明，垂于後世，順承勿革。皇帝躬聖，既平天下，不懈於治。夙興夜寐，建設長利，專隆教誨。訓經宣達，遠近畢理，咸承聖志，貴賤分明，男女禮順，愼遵職事，昭隔內外，靡不清淨，施于後嗣。化及無窮，遵奉道詔，永承重戒。

碑高三丈一尺，寬三尺。

這次封禪全程未讓魯生參加，儒生內心怨恨，和始皇結成死仇，將他看成是不遵禮的西方野人和破壞古制的狂妄罪人。

始皇未注意到這麼多，他在召集地方官員，垂詢地方行政及教化情形後，餘興未盡，於是沿著渤海又向東而行，經過黃縣、垂縣，穿過成山山麓，又登上之罘山頂，立石碑頌秦德。

接著他又擺駕向南，沿著渤海邊到了瑯琊山。

瑯琊山面對東海，風景秀麗，和泰山的巍峨雄偉又有所不同。

始皇登上山頂的瑯琊台，此台爲越王句踐二十五年徙都瑯琊時所建，西望群山層疊，青翠欲滴，東觀東海，波浪洶湧，浪頭如雪。這次站在山頂，他不再是孤獨個人，而是萬千臣屬擁戴著他，護衛著他。盡眼看去，一片錦繡衣袍、鮮明盔甲、旌旗節旄形成了另一處波浪濤濤的旗海。

迎著陣陣帶著鹹濕氣息的海風，他有著君臨宇內的意氣風發，也有著我欲乘風歸去的飄飄欲仙之感。

他轉向侍立一旁的瑯琊郡守齊魯說：

「這麼好的風景，可是窮目之下，看不到一絲人煙，這眞是有點美中不足。」

「原來山下有少數人家，但此處不適耕種，也不合漁撈，所以逐漸遷往莒城和即墨去了。」齊魯躬身回答：「在越王句踐時，瑯琊爲越首都，人口稠密，瑯琊山下，住戶人家也多。」

始皇想了想又說：

「如今太平盛世，自當不讓越王句踐專美於前，其實山頂景致絕美，山麓土地肥沃，怎會不適於居家耕種？只是人性都喜歡熱鬧，往人多的地方去了而已。今朕命你在一年之內徙三萬戶到附近，自然而然，人口會越來越多，形成一繁華都市，乃是指日可待的事，這樣才不致浪費了這裡的人傑地靈。」

「臣遵命。」齊魯恭謹的回答。

始皇遠眺大海，神情若有所思，很大一會，他突然又轉向齊魯、李斯等人說：

「朕幼時居住邯鄲，就常聽到傳言，東海之中有仙島，上住長生不老的仙人，不知是否眞有其事？」

李斯首先答覆說：

「鬼神仙人，信其則有，不信則無，傳說雖然眾多，但親眼見到的卻無其人，可見只能當作飯後茶餘閑談趣聞，不能太過認眞的。」

始皇看了看齊魯，意思是要他發表意見。

「廷尉所言甚是，」齊魯正色的說：「但空穴來風，傳聞多少有點根據。現有齊人徐市，又名徐福，就說他曾親身到過東海仙島，前些日子曾上書給臣，希望能提供船隻人員給他，讓他再去尋找仙蹤，但臣以爲事近荒誕，所以沒有理他。」

「徐市目前人在哪裡？」始皇滿懷興趣的問。

「如今還住在瑯琊，以爲人看相卜吉凶維生。」

「明日爲朕宣召，朕想聽他談談仙島的事。」始皇笑著說。

李斯在一旁勸諫。

「孔丘不言怪力亂神，因爲這些事似有似無，談論多了，常會使人不滿現實，想入非非。」

「不要緊的，廷尉，」始皇搖搖頭，不同意他的說法：「姑妄言之，姑聽之，相信徐市不敢對朕胡扯得太遠。」

這時，始皇耳畔似乎又響起了那個似幻似眞的聲音：

「你是我的愛子，我的驕子！我將天下兆民都託付給你！」

8

始皇在瑯琊行宮召見術士徐市，李斯及瑯琊郡守作陪。

徐市看上去大約四十多歲，面目清奇，膚色白皙，留著五綹長鬚，飄忽胸前，倒也有一副仙風道骨氣派。

在他行禮坐定以後，始皇微笑著說：

「朕聽郡守說，先生曾親身到過東海仙島，不知是否可以說給朕聽聽，以增長朕的見聞？」

「臣不敢，」徐市恭謹的回答說：「臣上次是坐船遇風，在海上飄了數天數夜，偶然在一仙島靠岸，在上面住了幾天，然後加足淡水糧食後離去。」

「停留數天，見聞應該不少，詳細說來朕聽聽。」始皇大感興趣的說。

於是徐市說了一段似眞似幻的神奇遭遇，他能言善道，臉上表情豐富，始皇聽了不禁神往。他說：

「那個島上四季如春，花草樹木長綠，唯一能分辨季節的是島中央的一座高山。春天冰雪開始溶化，山溪水澗淙淙而流；夏季山頂的火山口會冒出火焰，高衝雲霄，火光煙霧蔽空，甚是壯觀，所冒出的石漿，冷卻後即是耕種田地最好的肥料；秋季則北方諸鳥紛紛至島上避寒，一時島上充滿了各式各樣的鳥類，有羽毛顏色特別鮮艷的，也有囀鳴尤其美妙的，站在住處門前就欣賞不完；到了冬季，氣溫仍舊沒多大變化，只是那座高山開始爲冰雪所封，山溪也皆乾涸，人們就知道冬季已經到了。

島上所住居民，模樣與中原沒有多大分別，但男女個個俊秀明麗，隨便挑一個最平凡的男或女，到了中原都會是彌子瑕和西施再世。他們雖也有老幼之分，但是到了某種年齡，只要到那座高山上吸飲一種名爲『青春之泉』的山泉，就能恢復到十八歲一樣，所以有很多祖父看起來比孫子還年輕。爲了控制島上人數，他們已多年都不再生育，所以那裡見到的都是十八歲以上模樣的人。」

「這眞是神奇！」始皇拍案叫絕：「但爲什麼不人人都變成十八歲一樣，那豈不是更好麼？」

「這種泉水不多，所以受到管制，不能任意取用，只有到五十歲才准使用，飲後變成十八歲，然後長壯變老後再飲。陛下看臣多少歲了？」徐市轉口問始皇說。

「先生神清氣爽，看起來應該是四十歲出頭，和朕差不多，但朕政務繁忙，看上去比先生老多了。」始皇嘆口氣說。

「陛下龍鳳之姿，天日之表，臣怎敢妄比？只是陛下猜錯了，臣今年已七十多了。」

「七十多了？」始皇驚詫得差點跳起來：「這麼說，先生也喝過『青春之泉』？」

「不錯！廿多年前，臣五十多歲，但身體已衰老不堪，蒙島上人賜『青春之泉』一小杯，飲後經過三天，臉上身上原來皮膚就逐漸枯乾破裂，變成鱗屑紛紛脫落，就像雞蛋剝殼一樣，七天後就成爲十八歲翩翩美少年了！」

「先生能否再說點島上奇異給朕聽？」始皇的興趣越來越濃厚。

「其實東海中還不止這一處仙島，據島上人說，相互有往來的即有三處，一曰蓬萊，二曰方丈，三曰瀛洲，三島相去數千里，島上有特製快船可通。這類快船不用船帆也不用槳，燃燒島上洞底一種石頭化成的油，巨大車輪在水底轉動推船前進，一日可往返千里。」徐市說得口沫橫飛，連自己也有點神往。

「啊！那要是用這種船組成樓船艦隊，豈不是天下無敵了嗎？」始皇三句話離不開帝王想法。

「那種快船構造複雜，不容易仿造，而且那種石油只有三處仙島才有，拿到中原來也沒多大用處。」徐市帶點遺憾的說。

「朕是怕仙島人用這種船入侵中國，縱橫江海之上，將無法可制！」始皇面露憂色的說。

「那絕對不會，島上人個個樂天知命，又是長生不老，哪還有侵略別人的野心？他們男耕女織，日出而作，日入而息。島上處理公共事務的官員全由百姓選出，最高統治者名曰島長，全是每十年一選。」

「那豈不會個個競選打破了頭？」始皇笑著說。

「正好和陛下想像中相反，」徐市搖搖頭：「人人避之都來不及。臣那次飄流島上，適逢大選之年，只見那些德高望重者，有的走避深山，有的重門深鎖，連上街都不敢。走躲被人發現者，深山山洞外面就會有成千上萬的人跪求，日夜不休，直到他肯出來選爲止。因此常出現找不到應選的人，而現任島長和官員一連任就是多次，甚至有連任一百多年者，最後不得不掛冠求去，說什麼再不肯治事，才勉強又拉個人出來。」

「那島長的宮殿一定和堯舜一樣，茅頂竹椽，泥土三階，」始皇忍不住哈哈大笑：「所以許由聽到堯要禪位於他，他趕快跑掉躲起來。」

「又正好和陛下想的相反，」徐市微笑著說：「島上街道皆鋪玉石，下雨不濕，日曬不熱，即使是在正午，打了赤腳走在上面，清涼由腳底一直沁入心底，屋舍也皆以一種黑白相間的玉石為壁，檀香木作椽（屋樑），黃金白銀為門戶。一般百姓家都是如此，島長宮殿及辦事官衙更不必說了，連男女穿的鞋履都是用珍珠編成。」

「這種仙境，先生還能再找到嗎？朕不想別的，只希望要點『青春之泉』回來就行了。」始皇滿懷希望的問。

「這要看陛下是否有此仙緣了。臣上次離開仙島時，島上人就曾對臣說過，臣和那條船上的人都有這種奇緣，所以才會飄流到島上。否則平時由遠處看此島，只是雲霧一片，船行到島前，就會遇到暗流沉到海底。」徐市回答說。

「你是我的愛子！是我的驕子！」雷鳴似的話聲又在始皇耳邊響起，但他不願意告訴徐市和在場的諸臣，他只神祕的笑著對徐市說：

「朕相信有這份仙緣，要請先生再辛苦一趟，如何？」

「陛下天之驕子，鬼神都當禮敬，何況仙島上人！陛下統一四海，君臨宇內，建前王從未建過的偉業，乃是上帝親命，哪怕沒有區區仙緣？」徐市避席頓首說：「臣願為陛下效犬馬之勞。」

始皇聽到他口稱「天之驕子」，正與他耳畔聲音暗合，不禁更爲高興，他連忙要徐市復座，並柔聲的問道：

「先生需要什麼？儘管說。」

徐市想了想回答說：

「臣需要童男童女各三千，大樓船百艘，滿載糧食和淡水。」

「樓船淡水可以理解，童男童女要了做什麼？」始皇不解的問。

「仙島男女久不生育，已通人事男女，恐怕會汚染仙地，仙島就不肯在眼前出現了。」

「先生考慮周到，看來必可達成任務。」始皇寬下心來。

接著徐市又說了些仙島軼事，始皇交待李斯和齊魯合辦此事，與徐市商量準備細節。

談著談著不覺東方已白。

始皇在瑯琊遊山玩水，看海濤觀日出，想像著蓬萊仙境，樂而忘憂。一半是捨不得離去，一半是想看看徐市的準備結果。

李斯和瑯琊郡守齊魯的辦事效率眞快，三個月不到的時間就準備好一切。

徐市出航時有如大將出征，始皇親自到碼頭送行，並賞賜徐市及童男童女不少金銀珠玉，因爲中原上國到邊荒地區，雖然是仙島，也不能顯得太寒酸。

9

始皇在瑯琊停留了三個月，還覺得遊興未盡，他決定由楚地回歸咸陽。

經過彭城的時候，他想起周亡時曾將象徵權威的九鼎沉於泗水，於是派了成千的潛水夫到水底搜尋，但遍找不著，這時他心裡蒙上一層陰影。

秦滅周時曾擄得了周室的九鼎，但據博士中有人考證，這九具鼎乃是複製品，真正的九鼎已沉在楚地泗水底。

九鼎象徵政權，不能得到，就表示他的政權並非正統，不能持久。

然後他又率領群臣及護衛軍隊往西南，經過衡山渡淮水，來到湘江旁。

前導軍來報，湘江風浪大作，無法船渡。

始皇不信，親自來到江邊，只見白浪濤濤，江上看不見一艘船，試著強行渡江的前導虎賁軍船隻，有好幾艘打翻在江裡，有的被救起，有的載浮載沉，被江水沖走。

始皇原本就悶悶不樂，此時眉頭皺得更緊，迎面吹來強勁的江風，刮起陣陣的沙土，打在臉上生疼，愈發使得他惱恨不已。

「堂堂天之驕子，連條小小的湘江都征服不了，還談得上什麼君臨宇內？」他在心中悶悶的想，口中沒有說出來。

在一旁的博士姬周稟奏說：

「陛下乃奉天承運的天子，應該是可以下詔要江神平息風浪。」

李斯和諸隨行大臣也在旁邊湊趣，全都讚成姬周這個建議。

於是始皇齋戒沐浴，傍晚時分率領李斯等群臣，準備好祭祀三牲，由姬周讚禮。始皇按儀行禮後，將李斯撰寫的祝文焚化，灰燼撒在江內，算是告知江神，希望明日能風平浪靜，皇帝可按照預定日程回咸陽。

結束之後，始皇要姬周參乘，在路上他忍不住發問：

「姬先生，我們剛才祭了半天，朕現在才想起來，連湘江神祇是什麼人都不知道，先生可知是誰？」

博士到底是博士，姬周雖爲周人，但對天下河川山嶽神祇瞭若指掌，述說祂們的源流也如數家珍。他不慌不忙的回答說：

「湘江江神是女不是男，而且實際上是兩位。」

「哦？」始皇聽說是女神，不覺好奇：「先生是否可以將來龍去脈說給朕聽？」

「湘江江神，人稱湘君，也稱湘夫人，」姬周娓娓道來，連御車的趙高也不免側耳而聽：

「原爲帝堯的兩位公主，一名娥皇，一名女英。當年帝堯聽說舜賢孝，徵召他來輔政，以考驗他處理政事的能力；然後將兩個女兒下嫁給他，以觀察他的內德。最後經過二十年的考核，明白舜眞是個能幹賢德的人，才將帝位禪讓給他。」

「可見帝位不是人人能立，也不是可以隨便私相授受的。」始皇感慨的說。

「正是如此，所以古時立位是以賢德爲主。堯子丹朱不肖，堯就不傳位丹朱而選立舜，而後舜學堯的樣，預先選定禹爲繼承人，舜死後，禹謙避，一定要讓舜的兒子商均爲帝，但諸侯不從商均，皆從禹，禹不得不勉強就帝位。但到了禹死後，情形正好相反，諸侯不服禹生前指定的繼承人益，而擁戴禹的兒子啓，於是政權轉移由禪賢的公天下一變爲父傳子的家天下，是爲夏朝，等到夏朝傳到帝桀手上，因殘暴淫亂，諸侯不服，而湯修德，諸侯皆歸湯，因此湯遂率兵伐夏桀，將桀流放到鳴條地方而死。於是殷湯開了以武力奪取天下的先河，」姬周滔滔不絕的述說歷史：「也造成以後改變政權，百姓非受戰禍之苦不行。」

博士到底是博士，也到底是書呆子，他只顧口沫四濺說得高興，卻忘了正好觸及始皇的痛處——他不但是武力得天下，而且還想維持家天下萬世不再更替。

「先生說了這麼久，還未說到舜帝兩位后妃成神的經過。」始皇微帶不悅的說。

「哦，老臣只顧談歷史，的確是扯遠了點，還望陛下恕罪。」姬周惶恐的說。

「先生何罪之有，請繼續說。」

「舜帝在位也和陛下一樣，勤於巡狩，考察民隱，發現施政有不便民處，立即加以改進，」這次姬周不忘順帶拍一下馬屁：「最後巡視到蒼梧時，駕崩，兩女則投江自盡殉夫，死後爲神，是爲湘君或湘夫人。據知，湘君祠就在不遠的湘山上。」

始皇遠眺暮靄四合、雲霧圍繞的湘山，他要趙高停車，召來副車上的李斯和虎賁軍都尉。始皇對他們說：

「朕現在就想到湘君祠去看一下，也許應該祈禱問一問，爲什麼要興風作浪，阻擋朕的行程。都尉只要帶千人隨朕，其餘就在附近紮營，待風浪小了再過江。」

10

在虎賁軍的前導下，始皇只帶著李斯一部副車，以及姬周參乘、趙高駕御轀輬車，徐徐沿著湘山山道而行。

雖然天已薄暮，但虎賁軍在側高舉燈籠火把，山路及兩旁景色都清晰可見。

湘山除了參天古木外，滿山都是青翠湘竹，在暮色中尤其顯得蒼勁，景色美得迷人。

湘君祠建在山腰，山腳下有一道石闕，青石板的引道沿著山坡，蜿蜒到大殿石階前。

始皇在階前下車，步行到殿內，只見正殿上果然供著一尊牌位，上書「湘江二君神位」。

始皇只拱手行禮，默默祝禱：

「兩位夫人為何興風作浪阻朕行程？如其有靈，還望告知！」

他本性並不信鬼神，再加上中隱老人平時的薰陶教誨，他總認為鬼神是聰明人用來欺騙愚人的。不過秦人向來祀天，再加上老人也在勤練辟穀術，所以他倒真信宇宙萬物在冥冥中一定有個主宰，同時他也相信——或許說是希望——有返老還童的長生不老之藥。

尤其在泰山頂上「親耳」聽到雲端說話，以及徐市對仙島活靈活現的描述，他對這兩件事更加深了信心。

至於祭山川，祀鬼神，他只不過隨俗依例行事，既然他身為天之驕子，既使有鬼神也應該在他的管轄之下。

他喜愛湘山上的風景優美和氣候清爽宜人，便下令在湘君祠祭殿前搭起行宮帳幕，他要重溫幼時隨著老人在野外露宿的情景。

半夜時，他又是突然驚醒，身心的感覺和睡在泰山上時完全一樣——似睡似醒，似真似幻，他不知是在睡中真的醒來，還是進入了夢境。

不過，這次不是雷聲，而是極美的絲竹樂音，奏的彷彿是韶樂，又像是楚聲。

兩行十多名俊俏婢女手執燈籠和香爐，前後擁衛著兩位穿后服的中年女子出來。始皇再仔細一看，原來自己是置身一間佈置樸實的客室中。

他站起來迎接兩位中年美婦，直覺的感到她們就是舜帝的后妃——兩位湘君。

彼此見禮，分賓主就座後，坐在左邊主位的美婦微笑說道：

「陛下見召，有什麼指示？」

始皇明白是傍晚時禱告有了感應，他有點惶恐的說：

「兩位夫人想必是舜帝后妃娥皇與女英公主。」

「妾身等正是。」右邊主位上的美婦回答說：「妾身是女英，那是我姐姐娥皇。」

「朕在兩位神主前隨便說說，想不到兩位眞的是仙駕光臨了。」始皇有點尷尬的說。

「舉頭三尺有神明，君子要無愧於屋漏，每個人的一言一行，上帝都有所登錄考核，何況在妾身等神主面前所說的話。」

「朕沒有別的意思，只是想問兩位爲何興風作浪阻朕行程？」始皇有點老羞成怒，乾脆和盤托出：「而且朕也曾盡到禮數，齋戒沐浴祭祀過。」

「陛下錯了，」娥皇笑著說：「大自然行事按照天時季節而來，如今正是多風季節，湘江自然多風多浪，興風作浪並不是誰作得了主的，即使妾身姐妹忝爲湘江之神，也只不過是負責維持天時季節之運行，不讓過與不及出差錯而已。不會爲了陛下興風作浪，更不能爲了陛下平息風浪，正如四季更換，晝夜交替，不會因任何人或鬼神變換一樣。」

「難道爲了我這個天之驕子也不能？」始皇想印證泰山雲端的聲音，有意提出來。

「不錯，不說你這個天之驕子不能，就連上帝也不能違背自然！」坐在右邊主位的女英好像比姐姐剛直，她毫不容情斬釘截鐵的說。

「爲什麼？」始皇驚詫的問。

「因爲上帝就是自然，祂無法違背自己改變自己。要是一改變或違背，就是宇宙和上帝本身都要毀滅的時候！」女英又說。

「朕不懂妳的意思！」始皇大惑不解的說。

「光憑幾句話很難使你懂，但你只要明白一件事就夠了，」娥皇坐著說：「人要順服自然，利用自然，成功就會大而容易，有時候你也可以爲了自己的需要，設法彌補一下自然對你的不方便。就拿你渡湘江來說，等待風平浪靜再過去，就是順服自然，順水而下，速度加快就是利用自然；使用舟楫就是彌補自然對你的不便，要是徒手憑河，風浪再大也要強渡，那就是違背自然，只有自取其禍！」

「這樣解釋你應該多少懂一點了吧？」女英在旁不客氣的插口。

始皇給兩個女人教訓一頓，眞是太不服氣，可是一時又找不出話來駁她們，於是他改變話題，問一下他久想知道的事。他誠懇的問：

「兩位夫人是否能明示嬴政，我能否找到不老仙藥？還有，秦是否能萬世傳下去？」

「這就非妾身所能知了，」娥皇正色的說：「不過，生老病死，人之自然，盛極必衰，物之自然，鑒往知來，不必預卜也應該知其大概了。」

始皇還想再問，突然聽到女英大喝一聲：

「嬴政，先前還認爲你是聰明人，想不到愚蠢到這種程度！」

始皇一驚，醒了過來，發現自己仍睡在篷幕中，可是耳邊還聽到細微的音樂聲，焚香的香味依稀瀰漫。

他又陷入似眞似幻，似夢似醒的感覺裡。

第二天起來，他又走到祠內，對著兩位湘夫人神主嘲諷的說：

「眞耶？幻耶？昨晚眞是兩位仙駕光臨？我總可以做一件違反自然的事，就是要這座青翠葱鬱的湘山變成光禿！」

他回行宮後向南郡郡守下令，派三千囚犯淸除掉湘山所有的竹樹花草，連根拔去，要它以後寸草不生，全變得光禿禿的。

他也不再等湘江風平浪靜，而是自南郡繞道由武關回咸陽。

11

在咸陽南書房裡，蒙武夫婦親自向始皇辭職，因爲經過丞相轉呈的辭職書，到達始皇手上，他就扣押住不作批覆。

齊虹和皇后兩個表姐妹在一旁喁喁細語，兩個男人則是沉默相對，室內氣氛沉重凝結。

始皇從席位上站起來，在室內急速走動，蒙武注視著他，臉上表情堅決。

蒙武夫婦對始皇這項行動並不太在意，可是皇后明白這是山雨欲來風滿樓的徵兆，嬴政的雷霆之怒快發作了。

她憂心的停止談話，柔聲的對始皇說：

「皇上，你坐下來休息一下，好不好？你這一走動，賤妾好像聽到千軍萬馬在調動，怪使人害怕的。」

始皇當然明白皇后的意思，他笑了笑又回坐到席位上，也用極其委婉的口氣對蒙武說：

「天下剛統一，百廢待舉，等著我們去做的事太多太多了，難道蒙卿就忍心丟下朕一個人不管？」

「陛下，朝中能臣甚多，何況蒙武文不能治國，武不能安邦，文治武功都沒有什麼成績可言。」

「能臣很多，但忠臣太少。」始皇嘆口氣說：「卿家平定荆楚，生擒負芻，這不就是莫大的武功？如今天下初定，等待你在文治方面去表現的機會更多，你爲什麼一定要走？」

蒙武看了看齊虹，發現她也正凝視著他，眼神中充滿深情和鼓勵。他剛想開口說話，只聽到始皇用略帶不滿的口氣說：

「蒙卿是怕朕做第二個越王句踐，飛鳥盡，良弓藏？」

「臣不敢！」蒙武惶恐的說。

「算了，算了，」皇后在一旁打圓場：「他不是怕陛下做句踐，而是他當初向表妹求婚時，條件之一就是要他當范蠡，如今功成了，他也該身退，偕美享受悠游渭上之樂了。」

「這話當眞？」始皇轉向齊虹問。

「這是臣妾當年和他談好的條件。」齊虹恭謹的回答。

「的確，這幾年朕花了不少心血在武將人材培植上，像你們家公子蒙恬，王翦公子王賁，只是其中佼佼者，」始皇有所感而發：「你們應該看得出來，朕絕不會變成句踐，朕平定天下已幾年，還未殺害過一個功臣或良將。王翦功成身退，養老林下，王賁和蒙恬都已封爲列侯，雖然按照新制度實施郡縣，不再列土封邑，但列侯俸祿也夠豐富的了，你們應該相信朕！」

「臣絕不敢作如此想，」蒙武俯身懇切的稟奏：「臣只是事先向臣婦許下承諾，如今必須實現而已，臣絕對沒有二心。何況，天下宇內莫非王土，臣退到哪裡都是陛下的臣子，有事只要下詔，臣必朝聞命夕即至，趕來應命。」

「蒙卿現在說得好，只怕大魚一放回大海，再也釣不上來了！」說完話，始皇仰天大笑。

室內諸人也陪著笑，看到始皇臉上神情釋然，諸人是發自內心寬慰的笑。

「只是，馬上得之，不能馬上治之，這些年朕專心培植將才，卻忽略了在培養文臣上下功夫，現在眞有點難以爲繼的苦惱。丞相王綰老了，御史大夫馮劫也老了，新的宰相人才還不知在哪裡！」始皇搖頭嘆息。

蒙武本來想說，以始皇事必躬親，大事小事都一把抓的性格，宰相不需要有什麼才幹，只要會逢迎即可，但他口裡說的卻是：

「李斯才高性敏，精通治術，不就是最好的宰相材料？」

「李斯才幹和智慧都是無話可說的，」始皇沉吟了一會，搖搖頭說：「此人見風轉舵，利慾心太重，靠不住！」

蒙武當然再接不下去。

「你們都認爲朕喜歡事必躬親，卻不了解無人可用、無人可信託的痛苦！」始皇掃視室內諸人，長長的嘆了一口氣：「爲什麼朕每次出巡都帶著李斯和趙高？這裡都不是外人，朕老實說吧，就是不放心讓他們留守！這兩條毒蛇，只有朕這個玩蛇能手才能操控自如！」

皇后深有同感的點頭，蒙武夫婦則驚詫呆住了。蒙武更是在心裡想——難怪他小小年紀就能輕而易舉的渡過重重政潮，十多年時間就能征服天下，眞是天生英明！

始皇又站了起來踱到窗前，他面對窗外自言自語：

「王綰等人留守，也只能處理日常政務，有所重大變故，他們稟命承意行事慣了，到時就會驚惶失措，所以朕人在外面巡狩，心卻時刻都是在咸陽的，」他突然轉過身來對蒙武說：

「你明白心掛兩頭的滋味嗎？假若你願意留下來……」

看到蒙武臉上堅決的表情，他神情有點黯淡，改變了說話方向：

「朕不能勉強你作言而無信的人，尤其是對自己的妻子，」他看了看皇后，她讚許的微笑；他又看著齊虹，她眼中充滿感激。他斷然的說：「去吧，你的辭職朕准了！不過朕還是得感謝你，爲朕留下蒙恬蒙毅這對兄弟。蒙恬已是功成名就的良將，蒙毅在廷尉也是頭角嶄露，隱然是宰相之才，只是文臣不比武將那樣全靠天才，必需經過長時間的歷練，所以二十多歲的名將不少，三十歲的名臣卻難以找到。像甘羅十二歲爲秦使趙，取趙五城不辱使命，封爲上卿，但後無建樹，終歸默默無聞。良將難求，肯忠的能臣更難得！」

蒙武夫婦怕他有所反悔，趕快避席頓首謝恩。

「皇后，命人備酒，朕今晚要喝個痛快，爲表妹夫婦送行！」始皇又仰天哈哈大笑，但笑聲帶點淒涼。

12

蒙武夫婦相偕歸隱渭水邊，實現他們男耕女織的夢想去了，秦始皇帝和皇后總有點悵然若失的感覺，皇后少了一個走動的親人，而始皇卻是失掉唯一能吐露心聲的諍友。

但俗語說：「福無雙至，禍不單行。」就在蒙武夫婦離咸陽不久，又傳來中隱老人病危的消息。

雖然貴爲天下之主的皇帝，始皇仍習慣跪坐在老人臥榻前面。十多年來，老人也習慣了隔著屏風和始皇談話，因爲他不願讓始皇看到他老弱的醜樣子。

每逢始皇要求讓他也看看他的時候，老人就會在屏風後面笑著說：

「你還記得我的樣子吧？」

「嬴政當然記得。」

「那你就當我還是那個樣子吧！何必一定要逼我出醜？」

這天，老人依舊隔著屏風，但說話的聲音比以往弱細很多。

「嬴政，老朽自己推算，我的生命應該只有幾天了，趁今天精神好，想講話，所以找你來談談。」

「嬴政沒能常來探望老爹，還祈老爹恕罪。」始皇看了看侍立在屏風兩邊的書僮，他們識相的行禮退出。老實說，他們不應再稱書僮，自老人來咸陽，他們就負責伺候老人的起居，如今都是四十多歲的人了！但老人一直將他們稱做書僮，一個名「書僮」，一個名「劍僮」，兩人不但都已成婚，連孫子都有了。

「少將朝殿上的那一套用在這裡，什麼恕罪不恕罪的！」老人笑了笑，卻輕微的咳了起來。

「老爹有病，應該找御醫來看一下。」始皇關心的說。

「老朽本身就是最好的良醫，不會有人比我對自己的身體更清楚。但你要記得一句話，藥只是醫不死之人，老朽患的卻是絕症。」

「絕症？什麼絕症？」始皇震驚的問。

「也許是身體老化所引起的，」老人頓了頓又說：「我找你來，不是談我這個快消失的臭皮囊，而是對你的施政有些地方總覺不放心。」

「老爹請講。」

「你很喜歡殺人？」老人開門見山的說：「你是否對殺人有一種說不出的快感？」

始皇遲疑半晌才回答：

「是的，但我所殺的都是惡人，罪有應得的人！」

「在你的眼中如此，在別人的眼中不見得都如此！也許他們認爲這些人是好人，是親人。無論你殺什麼樣的人，你都會遭到一些人的怨恨，殺的人越多，恨你的人越多。所以君王嗜殺人遭致民恨，國家就會難以治理，你不能逞一時之快。」

「……」始皇沉思不語。

「尤其六國新滅，背叛作亂之事必多，這是人之常情。你要行新政，讓他們覺得比原來舊政權強，讓他們過的日子比原來好，他們自然而然就會順服，用武力只能征服一時，你應該明白。」

「難道說……」始皇想辯駁，一時找不到理由。

「苛政猛於虎，以往天下沒統一，一國行苛政，還有別國可逃，現在四海歸一，無地方可逃，苛政會逼著天下人反抗。嬴政，你想像得出天下人都反抗你時，會是個什麼樣子嗎？

各地舊王室貴族帶頭，各地民眾雖然沒有了武器，卻紛紛拿了農具，削尖了樹枝竹桿而起……嬴政，你試著在腦子裡描繪這副景象！」老人說話有點像夢囈，也有點像鬼神附體的巫者。

「有那麼嚴重嗎？」始皇想用笑談的口吻來緩和一下氣氛。

但老人仍舊自言自語說下去：

「其實什麼忠君愛國都是假的，百姓要忠要愛的，是能夠讓他們過較好日子的人。孟軻說的話中，有一句是我平生最欣賞最佩服的。」

「哪句話？」

「『民爲貴，社稷次之，君爲輕！』君是爲民設的，並不是民爲君而生而活，但近代的君王想法正好相反。嬴政，你認爲天下人民都應該爲你而活，爲你而死嗎？」

「……」

「不談這些了，」老人平靜下來：「你是聰明人，知道該怎麼做，現在談談我的後事。」

「老爹！」始皇有點傷感起來。

「我都是一百多歲的人了，還有什麼好忌諱的！」老人笑著說。

「假若老爹有什麼不諱，希望老爹能准許嬴政將您葬在驪山陵寢。」始皇誠懇的說。

「聽說，爲了你將來的陵寢，你大興土木。現在正是新戰之餘，人民需要休養生息的時候，有什麼要動用廣大民力的事，留待過一些日子再做。你還年輕，等得及。久戰以後必有凶年，如今人民最重要的是安定溫飽！」

始皇口中不說什麼，心裡卻不以爲然，他始終認爲應該一鼓作氣，將應做的都做好。

「嬴政，聽著，」老人說話聲音突然大了起來：「我死後用火化，將骨灰灑在德水，讓它帶到海裡去！」

「老爹！嬴政怎能忍心如此做？」始皇驚呼。

「那樣才乾淨，傻孩子！埋在地下讓螞蟻蟲子咬，骨灰灑在水裡讓魚吃，不都是一樣嗎？何必薄彼而厚此！」

又隔了一會，老人聲音微弱的說：

「我想睡一會，你去吧！」

三天後一個夜裡，老人去世，始皇和皇后聞到惡耗，立即趕去。多年來始皇首次看到老人的樣子，難怪他不願讓他看到——他瘦得只剩皮包骨，頭髮和眉鬚都脫落光了，死後的樣子竟是如此難看。

始皇將他的遺體遵照遺囑火化，親自捧著骨灰灑入德水，並宣佈爲老人服喪三個月，遵照孫輩之禮。

蒙武退隱，他少了唯一的諍友。而老人去世，他卻是完全失去了心靈上的支柱，今後再有難以解決的心結，要找誰去打開？

同時，他下令停止構築驪山皇陵。

第20章

諸侯餘孽

1

趙地宋子縣城中，民眾雖然怨嘆徭役田賦越來越重，刑法比舊日要嚴峻得多，但自古以來，眾人窮困，新貴階級必然發財。因此，宋子城不大，入夜以後卻是每家酒樓客滿，笙歌處處可聞。

荊軻刺始皇失敗，屍體遭到車裂，天下統一後，始皇下令通緝與荊軻有密切來往的人，高漸離更是其中的首要。

他改名為趙保，藏匿到宋子城「鴻源酒店」做酒保，由於沉默寡言，做事勤快，頗為酒樓主人所喜愛。

「鴻源」為宋子城中最大最豪華的酒樓，平日新貴階級歡宴上級視察人員，或是集合尋歡取樂，「鴻源」都是他們第一選擇。

今晚，鉅鹿郡守來縣視察，縣令包下整個酒樓，樓下供隨從人員喝酒用餐，樓上則雅房隔間全部打開，卻只有廿多個人分席而坐。

坐在正中主賓席位的是鉅鹿郡守，側座席位則是一名筑藝絕佳的藝伎，她筑藝好，人更美，樓上樓下的人都聽得如痴如醉，樓上這些高官富紳，更是人人看得垂涎三尺。不過大家心中並不存非份之想，因爲誰都知道此女是縣令特地由邯鄲請來，專供伺候郡守這幾天的停留之用。

高漸離負責上樓送菜，聽候差遣，免不掉也在樓梯口聽着。另一名酒保取笑他說：

「趙保，看你聽得如此出神，莫非你也是知音？還是看女人看迷了？」

「這個女人長得比她的筑藝好，她是賣色不是賣藝。」高漸離手癢技癢，不知不覺說出了眞話。

「你不要亂批評，你要明白，酒樓主人和女主人都是彈筑高手，還有郡守大人據說筑藝更是趙地一絕。」

「我來此已三年，卻從未聽過主人彈筑。」高漸離不信的說。

「傻蛋，主人是和女主人在家琴瑟相和，彈奏飲酒作樂，他又不是賣藝的，在酒樓擊什麼筑？」另一個酒保說。隔一會他又說：「樓上菜上得差不多了，你去休息一會，這裏我一個人招呼就好。」

「不，讓我站在這裏聽一會。」高漸離說。

果然，樓上室內，藝伎剛彈完一曲，主人縣令就當眾宣佈：

「郡守大人筑藝，趙地一絕，現在恭請大人爲我等演奏一曲，飽飽耳福。」

眾人鼓掌，要求聲良久不歇。

郡守聽藝伎的筑藝不怎麼樣，早已不耐煩而想自己顯一下身手，在眾人要求和慫恿之下，他也就欣然答應了。

藝伎將筑送到郡守席位以後，他調整了一下絃，然後用筑槌輕擊，發出的樂音當眞與藝伎所擊出的完全不同，眞所謂「行家一伸手，便知有沒有」。

「好！」高漸離在心中暗喝了一聲。

接着郡守彈奏出一曲高漸離最熟悉的曲子——〈易水送別〉因爲這正是他嘔盡心血的創作。

隨着筑聲旋律的抑揚起伏，快慢頓挫，高漸離的心靈又回到多年前的易水畔——

自己意氣飛揚，筑藝稱絕北地。

荆軻英俊瀟灑，泰山崩於前而面不改色。

易水滾滾浪濤，河水嗚咽。

送行人羣的白衣白冠……

而如今全成了隔世！而只有他高漸離改名換姓，苟且偷生！

他耳畔總是響起荆軻高亢的歌聲——

風蕭蕭兮易水寒，

壯士一去兮不復還！

然後是數千人的大合唱——

風蕭蕭兮易水寒，

壯士一去兮不復還！

接著又是荆軻的領唱：

生死聚散兮彈指間，

壯志不酬兮誓不返！

生死聚散彈指間！就這樣一彈指，他和荆軻生死相隔已經十年，而屠狗者十年相別，如今也是杳無訊息，生死聚散是如此容易又如此艱難！

難道說，他高漸離眞的就要這樣委屈一輩子？

不知不覺，淚已湧出眼眶，順着臉頰往下流。

他再注意聽筑聲，郡守大人稱得上是高手，但總是業餘者，〈易水送別〉彈錯了幾處，而且勝國新貴，根本體會不出曲中的感情，當然也就發揮不了筑的最高極致。

2

「你也懂筑？」

身後有人問話，嚇了高漸離一大跳，他回頭一看，原來是酒樓主人。高漸離不好意思用搭在肩上的抹布擦臉，想轉身下樓，卻爲主人喊住：

「趙保，原來你也是知音，竟感動得哭了！」

「小人對這首曲子很熟。」高漸離有意迴避話題。

「當然熟了！這是高漸離先生所作名曲〈易水送別〉，如今已傳遍大江南北，不但用來彈筑，而且也改成了琴、笙、鼓、鐘等八音奏的大樂曲，只要有井水處，就聽得到有人哼唱，樂坊人家要是不會彈此曲，就會被別人認爲不是本行。雖然朝廷下令禁止，可是除了秦地本地外，誰也不理這一套。禁者自禁，彈唱者照樣彈唱，這就是音樂感人的地方，曲子好，越禁越流行！你沒看到？郡守大人這樣的高官仍然是照彈不誤。」

酒樓主人一談到音樂和筑，就忘記了自己是在酒樓，而他是店主、趙保是酒保的身份，話語滔滔不絕，聲音也大了起來。接着他免不了讚了郡守大人幾句，順便問高漸離的評論。

「郡守大人彈得還算不錯，有精采處也有彈錯處，但最主要的是他把握不住曲中悲壯且義無反顧的感情。」

「啊，趙保，你不但是知音，而且是大大的行家！你會彈筑否？」

「小人略知一二，只是怕登不了大雅之堂。」高漸離謙虛的說。

「聽你知筑如此之深，筑藝不會差到哪裏去！我和拙荊都是筑迷，哪天有空，到我家去切磋一下。」

高漸離正想推辭，誰知店主人忘形的大聲談話，早就被正在彈筑的郡守聽得一清二楚，他派了一名侍衛來查看——到底是誰這樣大的膽子，偷聽不說，還要妄加評論。

侍衛將兩人帶入室內，向郡守行了禮。縣令在一旁陪笑解釋：

「原來是店主人和剛才負責送酒菜的酒保。」

停止彈筑的郡守沒理會縣令的話，卻只顧仔細打量高漸離，他有點懷疑的喝問：

「你到底是誰，膽敢私下亂批評？而且看你相貌清奇，風度舉止，全不像個做酒保的！」

高漸離沉默不答，只直視郡守凌厲的目光，沒有抗拒也沒有畏縮，一副目中無人的神情。

「你既然說本官掌握不住曲中的感情，你能夠盡情發揮嗎？」見高漸離不回話，郡守又問了一句。

「大概可以。」高漸離驕傲的回答。

「你自認是什麼東西？膽敢如此頂撞大人？」縣令在一旁看不順眼，大聲叱喝起來。

「不要責備他，」郡守不怒反笑：「也許他有點眞材實料，有才華的人都是這種桀傲不馴的脾氣，但本官要考驗一下他夠不夠資格如此驕傲，來人，設座讓他坐下！」

店主人趕快要人在側角上藝伎旁邊添了一個席位。

「你坐下來彈彈看。」郡守擺手說。

高漸離站在原地不動，只是拱手長揖對郡守說：

「彈筑雖是小技，但必須恭敬專一，誠心實意，才能人筑合一，彈出最高境界來。」

「哪有這麼囉嗦！大人命你彈，你就遵命坐下彈！」座中一個大腹賈模樣的人叱喝。

「聽他的！」郡守舉手制止：「他說的是內行話。」接着他神情肅穆的問高漸離：「你需要些什麼？」

「這裏的人請出去洗把臉，將酒意清醒一下；請這位姑娘按照獻藝的規矩把香焚起來；而我要去沐浴更衣，整理一番再來，」高漸離徐徐回答：「還有，得將我的席位設在正中間。」

「大膽！」宋子縣令忍不住在一旁責罵：「你彈就彈，哪有這麼大的架子，還要郡守大人和各位貴賓專門等你！」

「要想聽美妙的音樂，不但演奏的人要誠心實意，聽的人也得集中注意力，這樣才能體會出曲中感情，得到最完美的音樂享受。」高漸離不急不緩的說，根本不理會他。

「少囉唆，坐下彈！」縣令喝叱着。

「我不是賣藝者，沒有義務爲你們彈筑，愛聽就照我的規矩來，否則小人告辭，下面還等着我送酒。」高漸離神情傲然，一副目無餘子的姿態。

縣令還待發脾氣，郡守搖手制止，他柔和的對高漸離說：

「我們等你，不過請稍微快點。」

3

高漸離經過沐浴更衣後，顯露出他本來的面目，長相清奇，風度翩翩，尤其高挑瘦削的身軀，罩上一襲大袖寬襟的白色長袍，戴着白色高冠，全身散發着飄飄欲仙的美感。

他當中而坐，郡守的席位反而移到他旁邊，他一筑在手，就有着君臨天下的架勢。

衆人先前見郡守大人對他這樣寬容，全都不以爲然，但見他換裝以後的氣度，無形中爲之心折，室內自然而然鴉雀無聲，他面前的香爐香煙裊裊，香味蓋過了酒氣。

他先調整筑絃，試敲幾下，鏗鏘之聲和先前兩人彈出來的樂音完全不同。他拱手向眾人見禮，再避席向郡守頓首行禮說：

「大人縱容，小人並不是不知情，筑本是爲知音而擊，以大人寬容的程度來看，就明白大人至愛音樂，小人自當盡其所能，博大人一笑。」

他復座後，先擊敲出郡守最精采之處，一邊言道：

「這是大人擊得最好的幾處，極能把握原作曲者的情感。」接着又擊出郡守失誤之處：「這種擊法稍嫌隨便，未能體會出原作者的沉痛悲涼，應該稍慢而輕柔低迴。」

他的話座中沒有人能懂，只有郡守連連點頭，連在側座的那位藝伎也不禁迷惘的注視着他。

「同樣的筑，可是在三個人手上，就會發出三種相差如此大的樂音。」郡守衷心讚佩的說。

「不錯，大人可謂知音者。此筑在那位姑娘手上，只是循規蹈矩，虛應故事；在大人手上，靈活變化，卻仍然只是段死木頭和幾根絃，但經過趙保一彈，卻變成了有生命有情感的靈物！」

這話一出，令眾人都感到奇怪，因爲找不到說話的人。再仔細一搜尋，原來是酒樓主人在室外樓梯口聽得忘了形，不知不覺接着郡守的話頭說出這段評論來。

「主人來聽筑，爲何不進來坐？」郡守極力表現他愛樂者的風度。

酒樓主人聞言也就不客氣，自行搬了席案在下首坐下來。

高漸離睜開亮如晨星的雙睛掃視各人，被他目光掃到的人，都忘我的正襟危坐，屏息傾聽起來。

他開始奏出他的嘔心之作——〈易水送別〉。

先是低迴哀傷，表達出送別一個明知不能再見朋友的內心沉痛。

接着筑音一轉高亢，高漸離腦海中浮現出易水畔千人送行，荆軻引吭高歌的情景。

風蕭蕭兮易水寒，

壯士一去兮不復還！

易水浪濤洶湧，河上寒風呼號。

筑音由變徵之聲突變為慷慨激昂的羽聲，他彷彿看到荊軻刺秦王，追着秦王滿殿繞着殿柱跑的情景。

他臉上顯出諷刺的微笑，沖冠一怒、流血千里的君王，竟也被一個手執匕首的匹夫，當着成百上千的群臣面前追趕，像是隻被貓逼得無路可走的小老鼠。

這時高漸離逐漸忘我，他和筑融合成了一體，他擊奏的不再是〈易水送別〉，而是他自己都不知道的樂曲，他對腦海中浮現出的情景所產生的情感，就信手用筑音宣洩、描述和表達出來。

他看到荊軻被車裂的場面，雖然那天他不在場，現在這副情景卻活鮮鮮的突現在他眼前——數十萬人圍觀，他們為他的勇氣而歌頌，雖然他們是敵國人民，卻也為他唱着：「風蕭蕭兮易水寒！」

這些情景以及他對這些情景的內心感受，他全用筑音來詮釋表現。

聽在郡守和眾人的耳中，筑音一會哀痛欲絕，一會慷慨激昂；這一段低盪迴腸，另一段高亢如斷金之聲；前面如怨如泣，後面卻似乎是勝利的歡唱！

高漸離在用筑音和荊軻的在天之靈對話。

「荊軻，一介匹夫勇逼萬乘之君，雖擊不中，千古留名，你也該滿足了！」他的筑音如此說。

「漸離，聽你這樣說，你也想步我的後塵？」荊軻在天之靈似乎在他耳畔說話。

「固所願耳，只是怕找不到機會。」他用筑音回答。

「是趙保，永遠找不到；是高漸離，機會很快就會來到。」荊軻的鬼魂如是說。

「荊卿！荊卿！」他用筑音呼喚。

荊軻英靈已遠去，他的筑音也似乎沒有了那股感應。

「荊卿，魂兮歸來！」他用話語喊着。

筑音截然而斷，室內諸人都在不自知中淚濕衣襟，座上落淚最多的當然是高漸離自己，他不但衣襟已濕，更是兩眼迷茫，連室內諸人他都視若不見！

「你到底是誰？能將作曲者的感情和心境詮釋得如此體貼入微，卻又宣洩得這樣淋漓盡致！」郡守驚奇的問。

「我就是高漸離，此曲的作者！」高漸離傲然的回答。

室內響起一片訝異聲。

「高漸離？不正是朝廷要捉拿的欽犯？」宋子縣令如夢初醒，他轉向侍立身後的警衛高叫：「拿下！」

「且慢！」郡守似乎樂興尙未褪盡，他微笑的向高漸離問：「高先生改名更姓這麼多年，爲什麼今夜要露出本來面目？難道不知道主上曾下令，抓住立可就地正法？」

「委屈一時，目的在求伸展，」高漸離毫無懼色，從容的回答說：「今天下一統，在下再也沒有伸展的機會，與其苟活而作瓦全，不如還我原來面目以求玉碎！」

「果然豪氣干雲，不愧是荆軻的平生知己！」郡守豎起大姆指稱讚：「高先生旣知天下統一，異志難伸，也可謂識時務的俊傑，假若先生願痛改前非，本官願意爲先生在主上面前求情。」

「大人錯了，以往各爲其主，各衛其國，實在談不上什麼是非。」

「那今後天下只是一國，國中只有一主，高先生應該明白該走的路了。」

高漸離沉默不語。

「卑職是否要將欽犯拿下？」縣令在一旁問。

「不用，本官要將高先生帶走，讓他在府中作客，如此偉大的音律家和演奏家，也許五百年都出不了一個！」

包括縣令在內的全室諸人，全都錯愕，不知道該如何反應。

4

在便殿樂室裏，始皇和皇后便裝易服，正閑談着等待高漸離前來。

皇后喜愛燕趙之聲，尤其是筑樂，可惜在邯鄲百般尋覓，就是找不到夠她水準、讓她聽得入耳的演奏者，更別提能使她如痴如醉，如登仙境的筑聲演奏者了。

她聽過演奏〈易水送別〉，而且用的是宮廷大編制樂隊，她感覺得出曲中的哀傷離情，也爲樂曲所表現的澎湃氣勢所吸引，但總覺得擊筑者太差，詮釋不出原作者意境，跟着整個樂隊也就平平無所表現。

始皇雖然聽到這首樂曲會聯想到荊軻行刺的尷尬場面，但現在四海一家了，他是天下之主，應該表現得雍容大度一點，何況他是勝利者，荊軻未刺傷他一根毫毛，卻遭到兩次死刑——殿上亂劍刺殺，以及數十萬民眾圍觀下的車裂，有時候他何嘗不佩服荊軻的神勇，哀憐他臨死前從容卻又絕望的那種表情。

所以一聽到鉅鹿郡守要求赦免高漸離，力奏高漸離的音樂才華是百年難遇時，他准了奏。而且皇后也力爭要見高漸離這個人，他既是擊筑聖手，又是這首曲子的原作者，要是由他來訓練宮廷樂隊，那該是多美好的事。

當然，始皇和她都要先聽聽高漸離的演奏，看看鉅鹿郡守是否言過其實。

一身白袍白冠的高漸離，揹着筑囊由一個人牽引進來，在便殿門前，禁衛的郎中照例搜察了他的全身，檢視了他背囊中裝的筑，驚奇的問道：

「這具筑怎麼比一般筑重許多？」

高漸離笑笑說：

「我彈筑比別人好聽，這是個最大秘訣——別人的筑中心是空的，而我的筑中間灌滿了鉛，筑身穩重，擊打起來，聲音自然宏亮清脆。」

「難怪高先生的筑藝能名聞天下，在主上聽過先生的筑藝以後，希望我們能有耳福欣賞。」那名郎中也笑着說。

「當然，當然。」高漸離說：「假若皇上聽得滿意，我就會長留宮中，到時候還要各位多照顧。」

「當然，當然。」那名郎中學着他的口氣說。

一名近侍小心翼翼的將高漸離攙扶着走上台階，引入樂室，行禮以後，近侍又扶他坐到席位上，幫他解下背囊的筑，安排好一切。

首先是皇后發現到情形有點不對，她驚詫的問道：

「高先生的眼睛怎麼啦?」

「沒什麼,由於有荊軻大逆不道的事情在先,郎中令和趙高大人爲了防備萬一,將小人的眼睛刺瞎了。」高漸離毫不介意的說。

「什麼?」皇后臉色大變,轉眼看着始皇說:「這是陛下的意思,還是趙高擅作主張?」

「朕事先不知道,但趙高這種預防萬一的措施,有它的需要。」始皇故作平淡的說。

「你們爲什麼這樣殘忍!」皇后難過得快哭了⋯。「百年難遇的音樂天才,就這樣被你們糟蹋了!」

始皇臉上現出慍色,沉默不語,皇后也賭氣不再說話。倒是高漸離眼瞎心不瞎,覺得室內氣氛緊張,他微笑着說:

「其實,眼瞎心更明,沒有外界景物的干擾,盲人的手更敏感,更能與心靈合而爲一。以小人爲例,明眼時有很多彈奏的難關突不破,眼瞎以後,反而輕而易舉就做到了。」

「眞的?」皇后驚喜的問,但美麗的臉上仍充滿惋惜:「可是作曲時怎麼辦?指揮樂隊時怎麼辦?」

「眼睛瞎了,其他感覺會更敏銳,作曲乃是用心,與眼睛沒多大關係,有人替我當眼睛記下來,也許我因爲心無旁騖,作曲境界會更上一層樓。至於指揮,是要樂隊看我,而我只要聽他們演奏發出的聲音是否調和，所以我只需用耳，需要用眼睛的乃是他們。」高漸離對皇后心存感激，解釋的話就多了起來。另一個原因是他想用示好鬆懈始皇的戒心。

「高先生都如此說了，皇后，妳該安心了吧？」始皇此時才開口安慰皇后。然後他轉向高漸離說：「高先生，現在你可展示你的絕藝了吧！」

「陛下及皇后要小人演奏點什麼？」高漸離摸索着調整筑絃。

「〈易水送別〉吧！」皇后首先說。

始皇不作聲，但臉上露出不高興的神情。

「以後讓小人爲宮廷樂隊排演好了這首曲子，再爲陛下和皇后演奏，這首曲子適合大樂隊，用筑單獨擊奏，太嫌單調，顯示不出那種磅礡氣勢！」

「那你要彈奏些什麼呢？」始皇怒意盡解的問。

「就彈兩首小人新譜成的曲子：〈鸞鳳和鳴〉以表示祝陛下及皇后幸福快樂，萬壽無疆，另一首〈昇平樂〉，以描述陛下統一天下後，百廢俱興，各行各業欣欣向榮的景象。」高漸離恭敬的回答。

「好！」始皇愉悅的笑了。

5

高漸離兩隻瞎眼向上仰望，手上擊槌忽快忽慢，時而輕柔，時而沉重，在筑絃上遊走，就像兩條矯健神龍，翻騰在雲霧之中。

始皇夫婦心靈整個都溶化在樂聲中，但他們腦海中出現的景象卻完全不同。

在高漸離彈奏〈鸞鳳和鳴〉時，始皇見到的是邯鄲那座桃花半掩的小樓，一個十二、三歲的小女孩牽着一個八歲男孩的手，在邯鄲大街小巷漫遊。

皇后眼前展現的卻是上林外的桃樹林，那個年輕的君主只是爲了見她一面，不惜裝扮成窮小子來欺瞞她。要是能永遠維持那種純潔無所求的感情，那該有多好！

男女一經肉體接觸，就會蔓生很多的問題，不管是有婚姻關係的所謂正當，或是婚外的所謂不正當。

最少在婚姻內的肉體接觸，後果會有生不生育和孩子教養的問題蔓延出來，婚姻外的更會牽涉到第三者、別人的閑話、甚至是社會制裁和內心不安。

她現在就同時面臨着這兩方面的問題。對嬴得的事，她在內心總有一份歉疚，再次和始皇肉體接觸，因此也就會有種罪惡感，她無法完全投入，當然就談不上什麼歡愉。

胡亥小小年紀，嬴政遺傳給他的劣根性就完全顯露了出來。任性、暴躁，喜怒無常，爲了一點小事不高興，就能親手鞭打內侍到半死，可是他父親的英明果斷、勤奮和禮賢下士的氣度，他卻一點都未遺傳到……

高漸離彈奏完〈鸞鳳和鳴〉，始皇夫婦都長舒一口氣，從幻覺中清醒。但他稍事調整一下筑絃，〈昇平樂〉聲再起，又將他們帶進另一個幻境。

這次皇后見到的是好一副太平景象——

都市繁榮，行人來往如織，商店裏的各種日常用品堆積如山。

老人含飴弄孫，新婚夫婦攜手同遊渭水，懷孕的婦女有丈夫呵護着，不用再下田工作。街上、巷裏、人家的庭院中充滿幼兒的歡笑聲，中間偶爾摻雜着嬰兒的哭啼，但那是代表新生命出世的喜悅，而不是饑餓或恐懼的悲哀。

男耕女織，豐衣足食，田裏稻波麥浪，一片金黃，飽滿的穗實將麥桿都壓彎了腰。

不再有更戍，不再有徭役，人人日出而作，日入而息，除了極輕的田賦外，一切收成都歸於自己。

再也聽不到寡婦夜哭，再也看不到全村所有人家都貼上「忌中」白布條的慘狀，每個年輕女人身邊都有壯碩的年輕男人作伴，而每個孩童都有父母的兩雙手在疼惜呵護。

夜間只聽到琅琅誦書聲，還有就是織布機的軋軋聲，這種聲音她是再熟悉不過的了，也是她平生最喜歡的聲音！

但始皇眼前出現的卻是另一種幻境——

咸陽城大興土木，服勞役的分別是各國舊貴族和統治階級、反叛地區的民眾、逼不得已才投降的六國降卒，以及一般犯法的囚犯。成千上萬的這些人全穿着赭色的號衣，來往奔走勞動，像一羣數不清的螞蟻。

咸陽城比現在大十倍，驪山挖通了，咸陽橫跨渭水南北，天下富豪都遷居於此，咸陽已成爲天下首善之區，遠超過昔日邯鄲和臨淄。

他的六國型式宮殿已建築好，擄自各國的鐘鼎寶器和美人，正可各歸其位，他的宮殿是天下之主的宮殿，所以應聚合全天下之至寶和至美！

北方匈奴已被趕回他們原來的牧馬地；南方的蠻夷都順服了中國，接受了中原教化。

條條馳道以咸陽爲中心，輻射到東、南、西、北每個角落；河水、江水，以及其他各支流，全都整治成功，從此不再爲患，而是可以用來灌溉，將荒地全變爲良田。

當然他沒忘記入海求「青春之泉」的徐市，他彷彿看到百艘樓船載着六千童男童女，迎風破浪由仙島回來，一桶桶帶去的淡水，全變成一桶桶的「青春之泉」！

也許他不該如此貪心，只帶回來兩桶就好，他和皇后每人一桶，就夠喝幾千次。多妙！每隔三十年喝一杯就變成十八歲，喝一千次好了，夠喝三萬年，夠變一千次十八歲，那多奇妙！三萬年中，他的臣民像松柏的針葉，不斷枯黃脫落換新，但大秦依然是大秦，他和皇后依然如故，就像整棵松柏完全不受針葉替換影響一樣。

那多美妙！他忍不住哈哈笑了。

「陛下！」皇后爲他的笑聲從幻境驚醒，她的喊聲又驚醒了他。

「皇后！」他回答，想起剛脫離的幻境，他不禁又笑了。

此時筑聲已停，高漸離兩隻瞎眼空洞前望，耳朵卻在注意聽始皇的反應。

「高先生，你發出的是筑音還是魔音？」始皇讚嘆的問。

「的確，你的筑音使哀家好像看到種種幻象。」皇后跟着加了一句。

「這是陛下和皇后天生靈根。」高漸離恭敬的俯身回答。

「這怎麼說？」始皇撫着五綹短鬚開心的問。

「小人此筑是傳自冀北異人，知音律者聽起來，會察覺到它的低音沉寬飽滿，高音晶瑩清脆，再低沉也不至含混不清，再高亢也不至尖銳刺耳，到目前爲止，小人還未見過能與此筑匹敵的。但它的妙處並不止於這些，而是經過小人之手擊弄，凡是生性敏銳有靈根的人，就會隨着筑音進入幻境，在裏面看到自己心中的宿願和喜怒哀樂。」

「這樣說來，先生的這具筑眞是魔筑了！」始皇嘆服。

「應該說是神筑、仙筑。」皇后在一旁糾正。

「是否可將筑拿來，讓朕看看其中有什麼奧妙？」

侍立在始皇身後的近侍要過來拿筑，高漸離雙手按住，輕聲叱喝：

「神品仙筑，俗手不得觸摸，」說着他雙手捧着筑起立，轉向始皇方向說：「待小人親自呈上陛下。」

看到他兩眼初瞎，舉步都感困難的樣子，皇后於心不忍，站起來說：

「先生行動不便，還是哀家來拿吧！」

高漸離搖頭緊抱着筑，皇后只當他有所顧忌，也就笑笑作罷。

在近侍的引導下，高漸離捧着筑來到始皇席案前跪下，他開口問：

「陛下出聲告知小人方向，小人要將筑親手呈遞在陛下手上。」

「朕就在你面前，只要遞上筑，朕自然就會接住。」始皇看他捧筑的恭謹神情，忍不住發出微笑。

就在這時，高漸離雙手由捧改抱，用力將筑向始皇砸去。

始皇是經過中隱老人從小調教武功的人，反應何其靈敏，高漸離擲筑前肩膀先有異狀，他本能向旁一閃，筑未擊中他，卻將席案後的玉器擺飾砸得滿地皆是，筑身碰在牆壁上發出弦斷的五音十聲齊鳴。

兩旁侍衛有了荊軻的經驗，不待始皇吩咐，已上階入室制服了高漸離，拖住他的頭髮，將他按倒俯伏跪在地板上。

秦王怒極反笑，嘆口氣說：

「狼子野心，怎麼對你們好，都不能改變對朕的仇恨嗎？」

皇后在一旁早已嚇得花容失色，她幾乎是帶着哭聲問：

「高先生，荊軻刺秦王，還可以說是各為其主，各衛其國，如今天下統一，你這樣做又是為了什麼？」

「為了荊軻，也是為了天下百姓！」高漸離掙扎着硬將頭仰起，毫無懼色的說：「嬴政，你應該到民間走走，看看天下百姓如今過的是什麼日子，不要只是以勝利者的姿態作什麼巡狩！」

「帶下去斬了！」始皇突然狂怒。

皇后在侍衛用玉盤呈上高漸離人頭時，她緊閉上眼睛，淚不斷汩汩流出。

「將頭縫連遺體，好好安葬！」始皇的語氣柔和得出奇。

從此，他終生不再接近和原諸侯有任何關係的人。

6

咸陽宮趙室裏，燈光輝煌，室外亭台樓榭，遠處甘泉山和整個咸陽城，全都蓋滿了皚皚白雪，冰雪封住了整個大地。

宮中每個近侍和宮女臉上都籠上愁雲，因爲他們打從內心敬愛的皇后病重，看來會不久人世。

皇后待下寬厚，始皇誰的話都聽不進去，只有皇后說話他是百依百順，她爲他們排解了不少危難。皇后去後，要是換上蘇妃立后，她懦弱恭順，在始皇面前一句拂逆的話都不敢講，以始皇暴躁而又喜怒無常的個性，加上趙高喜歡撥弄是非，點火煽風，他們的日子會很難過。

趙室裏，爲了沖淡悲傷氣氛，始皇命令點上了每一盞燈和燭台，兩具麒麟送子形的火盆裏，也燒着紅紅的炭火，爲四周白色的牆壁和裝飾染上一層粉紅。

胡亥剛由奶媽帶來見過母親退出，如今室內只有始皇和皇后兩人。

皇后斜靠在牀上，始皇就坐在牀沿上緊握住她的手。她臉色蒼白，不時咳嗽，說話呼吸都感到困難。

「妳不要說話了，休息一下！」始皇輕輕幫她搥著背，無限憐惜的看著她。

「趁能說話的時候，我得將事情交代完，否則就沒有機會了！」皇后搖搖頭。

「看妳總是這樣固執不聽話，」始皇輕輕拍著她瘦削的臉頰：「不要那樣胡思亂想，太醫說你只是受了驚嚇，再加上點風寒。」

「這麼老了，還那麼孩子氣，人家說什麼就相信什麼！他們是找不出病因，不敢下藥。秦法嚴，判斷了病因，連下三劑藥不見效就要治罪，他們當然要說我沒有病了，你明白嗎？」

皇后搖頭笑了。

皇后都四十五、六歲的人了，笑起來仍然有那個邯鄲小女孩的嬌媚，始皇不禁心內更酸，他呆呆的望著她，一時說不出話。

「現在我有兩件事想問你。」皇后嚴肅的說。

「請講。」

「一旦我去後，立誰爲皇后？」

「一旦妳丟下我不管，今後只要我在位，大秦就沒有皇后！」始皇毫不考慮的說。

「這怎麼成！大王不可一日無母，後宮不可一日無主，不立皇后，誰來母儀天下，管理後宮？我的皇帝，後宮幾千女人，有時候比天下兆民都難治理，你明白嗎？」皇后噗哧的笑了。

「也許可以要蘇妃治理後宮，但我絕不再立后！」始皇堅決的說：「而且，徐市尋找『青春之泉』就快回來了，我們將長生不老，千萬年爲夫妻，共同治理大秦！」

「我的皇帝，剛才我說你孩子氣，容易相信別人，你要是相信徐市這類術士的話，那你更是和嬰兒一樣天眞無邪了！世上要是有『青春之泉』這類的東西，那應該現在還是由堯舜稱帝，輪不到你來做這個始皇帝了。」皇后笑得咳嗽，久久不停。

始皇輕柔的揉撫著她的胸口，很久她才喘過一口氣說：

「就算有『青春之泉』這種東西吧，恐怕我也等不及了，現在還是把握時間談正經事，你眞的決定不再立后？」

「在我以及整個宮中上下的心目中，沒有人能取代你的地位，與其立非其人，不如讓這個位子空著。」

「嬴政，多年如一日，你始終對我如此好……」皇后將始皇的手放在臉上輕擦，哽咽著說不下去。

兩人就這樣滿懷悲痛的溫存很久。

最後皇后擦乾眼淚說：

「還有一件最重要的事。你到現在還未立太子，這關係以後大秦國運，我想在走以前知道，」皇后沉吟了一下又說：「我知道你忌諱言死，但哪個國家不預先立儲？這與死不死沒有完全的關係。譬如說，你常出外巡狩，總要有個名正言順的留守者。早立太子，兄弟們也早心定，不會勾心鬥角，手足骨肉相忌相殘，一旦不諱……」

「這妳根本就用不著問，當然是胡亥，」始皇阻止她再說下去：「他是唯一嫡出，也是我們唯一的愛子！」

始皇看著皇后，預期看到她臉上的欣慰，誰知她卻是連連搖頭。

「怎麼？立他不好？」始皇大出意料。

「依我的私心，當然立他最好，但爲了大秦的國運，千萬不能立他！」皇后正色的說。

「爲什麼？」

「你生了公子二十多人，同母者多的高達七、八個，少的最少有兩、三個，胡亥一旦即位，就會發生兩種情形，一是他刑殺所有成群結黨反對他的兄弟，再不然就是他受別人的壓制甚至是推翻。」

「這是妳多慮了，」始皇笑著說：「如今不比從前，公子都不分封，大權完全在皇帝一個人手上，諸侯勾結謀反的事根本不可能發生。」

「我不贊成立胡亥另一個更重要的原因是：胡亥本性太壞，暴虐無知，又不肯學習，將來不會是個好皇帝！」皇后嘆口氣說：「讓他做個黔首平民，也許在兄長的照顧下，他會活得平凡快樂，終其一生；要是當皇帝，會誤盡天下蒼生。」

「他才幾歲？大了，懂事了，就會改的，他的脾氣很像我，但妳敢說我不是個好皇帝嗎？」始皇自信的說。

「他怎麼能和你比！」皇后嘆口氣：「你勤勞、英明、果斷、睿智，他正好相反，俗語說，八歲看到老，他今年都十歲多了。」

「這件事讓我再考慮考慮，本來我不打算這麼早立儲，也就是因為對胡亥眼下的樣子擔心。」始皇想藉機下台。

「不，我眞的想知道你要立誰，我才會走得安心。」皇后語氣非常堅決。

「妳心目中的人選是誰？」始皇逼不得已反問。

「扶蘇！」皇后毫不遲疑的說。

「理由呢？」

「蘇妃人雖然懦弱了點，但賢德寬厚，是當太后的好材料。她生子七人，立扶蘇，同母兄弟多，可以互相扶持，其他異母兄弟不敢結黨欺壓他。同時扶蘇是你的長子，爲人賢孝，不只你我知道，也爲天下臣民所共同承認，這麼好條件的人你不立，卻只以對賤妾之愛的一己私心，就想立胡亥。殊不知，你這樣愛他的方法，不但是害了大秦，也反而是害了他！」

皇后掙扎著起身，危顫顫的跪在床頭，淚流滿面的懇求：

「陛下，承蒙恩寵殊遇，多年如一日，臣妾感激不盡。假若你還憐惜臣妾，讓臣妾走得安心，請放過胡亥，讓他做一黔首平民，無災無禍終老吧！」

始皇連忙將皇后緊緊抱入懷裡，淚如泉湧的說：

「玉姊，玉姊，爲什麼要這個樣子？胡亥是你的兒子，但也是我的，我答應你，我會爲他的好處著想。」

始皇始終未放棄立胡亥的想法。

三天後皇后去世。

咸陽舉行了盛大喪禮，靈柩暫厝蘭池，等待始皇陵寢建築竣工後，再行安葬。

天下服喪三月。

7

秦始皇帝二十九年初。

自皇后駕薨後，始皇不再立后，只命蘇妃管理後宮，也不提立太子的事。只是他睡不安寢，食不知味，批閱奏簡文書時，也常會停下硃筆出神。除了常夢見皇后不說，有時候無論日夜，他眼睛一花，就會看到皇后的身影出現，有時候也會在耳畔聽到皇后喊近侍或宮女的聲音。

宮人懷念皇后，宮中傳出謠言，有人看到皇后出現在她喜歡或常到的地方。始皇悶悶不樂，脾氣更壞，朝中大臣人人自危，不知道什麼時候會突然遭到他的斥責，甚至是獲罪下廷尉。

御醫診斷，始皇是思念皇后過深，鬱悶積心，最有效的良藥就是散心，改變一下周圍環境。

於是李斯上奏：齊國人心不穩，儒生常造謠生事，批評時政，總是以三皇五帝舊制，詆譭本朝的重刑法治，需要皇帝親自去安撫一下。

李斯這一本上奏，來得正是時候。始皇想出遊，找不到藉口，深怕別人說他多情柔弱，爲了逃避對一個女人的思念出遊。

李斯正好給了他這個藉口，何況他的確懷念瑯琊山的山海美景，當時他下令瑯琊郡守移民的事，他也想驗收一下成果。

對儒生的造謠生事，早就在他的預料中。這些儒生雖然口誦孔丘修齊治平之道，但五穀不分，四肢不勤，整天不事生產。上焉者敎幾個學生圖個溫飽，下焉者就一天到晚鬼混，全靠主持些祭典之事，賺幾個錢度日。

秦平定天下後，祭典之事日少，不工作就無錢可賺，而且講求法治，法律條文的複雜就夠一個人終生研鑽不清，有些聰明的儒生就改行習法，專替人寫狀打官司，倒也有些人靠這起家發財。但有些自命清高的儒生，不屑幹此營生，或者是改行不成，眼看別人發財眼紅，於是就詆譭起現行制度來。

當然始皇心裡最清楚，上次祭泰山，沒請這些齊魯宿儒、輿論領袖參加，才是眞正搗了這個馬蜂窩的主要原因。

這次去，他要安撫他們一下，當然，若安撫不成，必要時也得法治幾個人立立威！

於是他准了李斯的建議，親自出巡東地，並命趙高和郎中令按照上次泰山封禪準備一切出巡事宜。

道向齊郡出發。

正月底，始皇在眾多郎中、虎賁軍及軍隊擁戴下，又出了函谷關經穎川郡（原韓地），由直

8

陽武縣城外三十里處的博浪沙。

此處形勢險惡，起伏延綿的丘陵蔓草叢生，長滿參天古木，間雜著人高的灌木叢，通往齊地的直道必須從兩邊削壁的山谷中通過。

張良帶著一名大力士，在山邊的一塊突出部等候著始皇車駕。

這處突出部滿佈蔓草和灌木，山壁如刀削，山谷中人馬無法上來，而突出部向後則是森林密佈，再多的人隱進去，就像群魚逃入大海，再也難以追蹤。

這裡的確是一處埋伏狙擊的好地形，居高臨下，視界廣闊，一擊得手，從容而退，始皇人馬即使要上山搜索追捕，也要繞上一大圈路，何況兩個人一逃進原始森林，就像丟進草叢的兩根針，想找也無從找起。

張良二十歲出頭，生得白晢娟秀，身材修長，眉清目秀，唇若塗丹，經過初春的太陽一曬，兩頰像抹上胭脂般發紅，他不像一個準備刺殺天下之王的刺客，倒像一位女扮男裝的美

人。

張良為原韓國人，祖父張開地曾在韓昭王、宣惠王及襄哀王三朝為宰相，父張平亦曾相韓釐王和悼惠王兩朝，韓國滅亡時，張良尚年幼，等到長大以後，深感國仇家恨之痛，立志效法荆軻刺殺秦王。

他解散了家僮達三百人的大家，弟弟死了也不埋葬，為的是節省費用，全力重金收買能刺嬴政的勇士。

在中原多年求尋不得，於是遠到東海之濱，見到了倉海君，他為他介紹了這位大力士帶回來。

他經由韓齊地的反秦組織，得到始皇東巡的消息和路線，並偵察到始皇昨夜宿在陽武縣城，今天早晨出發，中午會經過此地。

東海力士看不出實際年齡，生就一副魁梧身材，高達九尺有餘，虎背熊腰，豹頭環眼，滿臉虬髯與胸毛連接。他不會說中原話，好在張良粗通他們的語言，倒也能溝通良好。

他們都穿著綠黃勁裝，為的是與背景顏色吻合。

為了這次刺嬴行動，力士特製了一具重一百二十斤的大鐵錐，由上而下投擲車駕，必可砸得四分五裂，車內乘員則必死無疑。

爲了試驗鐵錐的威力，張良和他在這裡連砸碎了好幾部車。東海力士的投錐越試越準，張良也越來越有信心。

此刻，張良望了望日將當中的天空，擔心的向東海力士說：

「快到正午了，嬴政車隊應該快到了，怎麼還不見張福回報？」

他正說完話，只見谷口遠處揚起一道灰塵，一匹黃膘快馬向這個方向急馳而來。

「看，那不是張福回來了嗎？」東海力士學著說中原語，有點大舌頭。

再看那匹黃馬忽然不見，原來是由谷口小路繞到山後來了。

果然不久，一個十三、四歲書僮模樣的人從後面草叢鑽了出來，他氣喘喘的向張良說：

「公子，嬴政的車隊離此已不遠，預計半個時辰後會到。」

雖然初春朔風仍帶寒意，但三個人額上流著熱汗，這是因爲勞動，也是因爲緊張。

「張福，你先走，到下邳去等我，該躲在什麼地方，你記住沒有？」

「圯上橋左項伯住處，」張福回答，但他立即又懇求說：「要張福單獨走，我不放心公子，求公子讓我留下。」

「你留下無益，等會事畢，無論成與不成，我和力士都要分頭逃離，力士自行回倉海，我會到下邳與你會合。」張良柔聲的說。

「我不願回倉海，願長隨張君。」東海力士前半句是中原話，後半句卻是東夷語。

「那事畢以後，我們撤走時，你要緊跟著我！」張良叮囑他說。

正說話間，只見山谷直道那頭灰塵揚起，高而擴散，乃是有大隊車馬來了。

9

始皇坐在轀輬車中閉目沉思，他在懷念皇后，也在思考該如何安撫齊魯的那派儒生。

他明白，這班儒生雖然早失去了孔丘所教導的儒家教養——詩、書、禮、樂、御和射，變成了身無一技之長、手無縛雞之力、整天只知道窮研古制批評時政的怪物，但他們說的話黔首相信，認為他們都是無所不知的聖人，至少是聖人的傳人——賢人，遭到他們的反對，眞是件痲煩事。

也許博士員額七十還不夠，應該增加到七百或者是七千，將原六國所有的輿論領袖一網打盡，讓他們都集中到咸陽居住，每年發點俸米給他們，讓他們甜甜嘴。

但養這麼多文不能草檄，武不能執戈的人，總得找點事給他們做，要他們做什麼好呢？

始皇想來想去有點頭痛，最後靈光一閃想出來了——就要他們分組專門研究古制，若干人編成一組，分別研究三皇五帝以及殷周的政治文物及各種制度，讓他們整天埋在舊竹簡裡，再沒有時間亂講話。

而民間教育應該由地方政府來舉辦，教的應該是些實用的技藝，諸如農事、園藝、醫藥、卜筮、刑名獄政等等。

楊朱說，岔路多了，羊容易走失；韓非說，儒以文亂法，俠以武犯禁；這些話眞是一點都不錯。

天下豪俠他已收拾得差不多，因爲他們大都有違法犯罪紀錄，這樣的人早被他下令各地郡守，以慣犯罪名拘捕，編成勞改隊參加築路、治河、修堤去了。

現在輪到整治這些滿腹牢騷、妄事批評時政的儒生，但依法提不出他們的罪證，手段太過激烈會引起民怨，後果不堪設想。

「也許，將他們集中到咸陽的辦法可行，那就要各地郡守藉推薦博學賢良之名，將地方危險分子都呈報上來；另外，必須要李斯再立新法，限制一下民間的言論，將妖言惑眾，無事生非的人加以治罪！」始皇終於得到結論。

正在他想這些事的時候，整個車隊忽然停止下來。

虎賁軍都尉來報：

「啓奏陛下，前面已到博浪沙，因地勢險惡，直道必須由山谷通過，臣正派人上山兩面搜索，清道後再走！」

「天下平定已久，還要這樣大費周章嗎？這一停要停多久？」御車的趙高在代始皇答話。

始皇聽到說話，伸頭車外對趙高說：

「就暫時休息一會，都尉所慮甚對。」

都尉飛馬前去部署，始皇要趙高掀起車前窗簾。他舉眼望去，只見前鋒三千名金盔銀甲的虎賁軍分作兩邊上山，漫山遍野的搜索過去，然後在谷道兩頭及各要點派上警戒，都尉做了前進記號，車隊又再緩緩移動。

10

可惜的是，虎賁軍搜索雖然仔細徹底，但他們找的是大隊人馬的大目標，張良和東海力士卻是穿著與背景相同的衣服，而且是躲在事先挖好再加上偽裝的坑洞裡。

儘管成千的虎賁軍牽著馬從他們頭頂的山路走過去，沙石紛紛下落掉在他們臉上和頸子裡，但就是沒發現到他們。搜索完畢，派出警戒後，始皇車隊又緩緩起動，一批批通過峽道。

「同式的車有六部，我要投擲哪一部？」東海力士一手提著鐵錐，另一隻手提著鐵尾的鐵鍊問。

張良放眼看去，心裡暗暗叫苦，責怪自己年紀輕，籌畫不夠周全。

只見三千前衛虎賁軍已過峽道，四周嚴密警戒，六百名執戟佩劍的郎中，前後左右擁衛著六部款式一樣的轀輬車，後面再跟著三十部車，分乘李斯等從巡大臣。

「等下車過的時候，你注意插有黑色旗幟，上繡龍鳳標誌的就是。」張良只有如此告訴他。

「好！」東海力士專心注意緩緩接近的車隊。

前導郎中過去，六部轀輬車經過他們腳下，只見六部轀輬車都插有龍鳳標誌旗。

「插標誌旗的車有六部，張君，我該投擲哪一部？」

一投不中，前功盡棄，但車子在移動，時機就要過去，沒有時間讓他多做考慮。

「皇帝總應該乘第一部，投擲第一部！」張良急促下決定，第一部車也剛好接近他們的削壁腳下。

「好！」東海力士運起全身力氣，雖然穿著勁裝，也看得出他渾身的肌肉墳起。

他揮動鐵錐，在空中劃了幾個圓圈，在日正當中的陽光下劃動了幾道光圈，他對準第一部車鬆手投擲，鐵錐在半空中發出呼呼聲響，顯示鐵錐去勢之疾和他力道之大。

鐵錐不偏不倚砸中轀輬車，整個車廂砸得四分五裂，駕車的六匹黑色駿馬受到驚嚇，人立長嘶。

郎中令及眾郎中高呼：

「有刺客！」

眾人縱馬執戟將第三部轀輬車團團圍住。

張良這才清楚始皇是坐在第三車，很遺憾他們沒多帶一具鐵錐來。

正在他懊惱間，虎賁軍強弩手紛紛發箭，向突出部及後方樹林草叢等凡是有可能藏人的地方實施威力搜索。

成千上萬的弩箭，像漫天遍野飛來的蝗蟲，咻咻聲不斷，令人頭皮發麻。

好在張良早防到這一著，他的藏身坑洞事先挖了一道交通壕，直通後山樹林下的山谷，他們的座騎也藏在那處山谷裡。

就這樣，東海力士和他都險些中箭。

在幾波弩箭的威力搜索後，虎賁軍後衛部隊大批人馬上山。有的騎在馬上，橫衝直撞的來回巡查；有的下馬，每隔五步一人，橫排著撥草前進，真是連隻兔子也會給他們找出來。

但他們來得稍晚，張良和東海力士早就到達山腰藏馬處，騎上快馬，加鞭跑掉了。

搜山沒有任何發現，車隊又再繼續前進。第一部車只是備車，上面只有一名御者，被砸得腦漿迸出，面目全非。

始皇鐵青著臉坐在車上，半天不說一句話，趙高小心翼翼的駕車，不時偷窺車內始皇的臉色。

始皇如今心中想的是：爲什麼他日夜辛勞工作，冒著寒暑在外奔忙，清除戰爭，爲天下黔首興辦民利，還是有人這樣恨他？荊軻的事，他想得開，高漸離的結，他就一直耿耿於懷，今天這個連影子都未見到的刺客，更讓他的自信被那一錐砸得粉碎。

爲什麼他們恨他而不感激他？古時多少君王躲在深宮享樂，不問民間疾苦，百姓還稱頌他們是無爲而治的聖王賢君。不興辦水利，天時不好，百姓就得吃草根樹皮；河水變道或豪雨成災，無數的農田家園只好被淹沒。不開闢道路，糧食無法轉運，河東豐收，河西卻會餓死人；貨物不能暢其流，日用物品就會昂貴；軍隊不能快速調動轉用，就得養更多的邊防部隊……

這些黔首爲什麼不體念他的苦心，只喊叫著徭役太重，反而懷念那些素食尸位、將國家弄得貧窮落後的庸君？

最後他想起孔丘的名言：「民可使由之，不可使知之。」也許，他應該自行其是，不應該顧慮這些儒生和黔首怎麼批評。

他想：「我是天之驕子，上帝將兆氏託付給我治理，民可使由之，不可使知之，爲了他們長久的利益，短時間他們必須犧牲一下，他們再苦再累，總沒有我這樣苦這樣累，只要我問心無愧，不管他們怎麼去想！」

這樣一來，他內心舒服多了。

張良和東海力士博浪沙鐵錐一擊的消息，不久就傳遍天下，六國故舊盡皆興奮。

他下令大索十日，但刺客的身影都未見到，從何索起，郡縣也只是虛應故事了事。

始皇遊興皆失，因而更相信荀卿「人性本惡」的說法，光是懷柔沒有用，君王仁慈就是無用的代名詞！

他到齊郡以後，再登之罘山刻石頌秦德。

李斯等人預先警告始皇心情不好，齊郡郡守當然不敢找那些反對派的儒生來煩他。隨著始皇遊之罘山和瑯琊山的儒生都是屬於歌德派，他們日夜跟在始皇後面歌功頌德，一致的結論是，始皇功德都遠超過三皇五帝，既然號稱始皇帝，一切法令制度當然從他開始。

始皇聽了這些儒生的話，龍心大悅，下令郡守舉薦方正賢良到朝中爲官時，不要忘記他們。

遊罷瑯琊山，見到山麓移來農戶漁家，一片欣欣向榮的景象，總算沖淡了張良行刺事件的憤怒。

始皇由魯地取道上黨回咸陽。

11

回到咸陽以後，始皇按照原來構想，命丞相王綰通令各郡以舉薦方正賢良的名義，將那些不滿時政、亂事批評的儒生全都送到咸陽來。

但命令到達各郡守手上，全都打了折扣，因爲這些郡守深怕保送上去的人眞正得罪了始皇，他一遷怒，誰也承受不起，尤其是始皇喜怒無常，誰也摸不透他這項命令的眞正用意。

於是，三十六郡的郡守不謀而同送的都是歌德派儒生，其中還有不少的方家和術士。大小郡所送的人數不一，總共加起來有六百多人。

始皇對這些人甚爲優遇，特別賜宴咸陽宮，然後要丞相會同李斯將這些人分組，專事研究古代制度，將結論呈報用作施政參考。

這些人當中有兩個人最爲出色，一個是來自燕地遼東郡的盧生，一個是來自韓地穎川郡的侯公。

這兩個人不但深通詩、書、禮、樂、易、春秋等六經，對易經特別有研究，同時還兼研方術，上知天文星象，下通地理風水和醫卜。據知道的人透露，盧生更精通招魂術，能將亡魂召來與親人相見。

時間一久，這兩個人無形中就成了這批人的領袖。

秦始皇帝三十一年。

始皇回到咸陽宮中舊環境一久，又不免日夜思念皇后，幾度思念成疾，整天精神恍惚不能理事。

但不管他身體怎樣不舒服，或者是政事再忙，他每天傍晚一定會微服簡從，去到蘭池皇后棺木厝地悼念一番。

盧生日子一久，和趙高搭上了線。有鑒於徐市上奏一道求「青春之泉」的書，就騙到了樓船百艘，童男童女各三千，金銀珠玉無數，幾年都無消息，不知道如今在哪個島上稱王。

他也想效法徐市故技，富貴榮華一番，否則天天和這些老儒生皓首窮經，盡研究那些殷商鐘鼎的稀奇古怪文字，以及拼湊發掘出來的死人骨頭和殉葬物，來摸索三皇五帝及殷周文物制度，他很快就會滿頭白髮，說不定還會發瘋！

九月，正好咸陽傳出有茅濛此人在華山白日昇仙，有人看到他乘雲駕龍，騰空而去。

盧生於是花了點錢，買了些糕餅糖果給在街頭巷尾遊玩的小孩，教他們唱一首歌謠，歌詞是——

神仙得道茅初成，
駕龍上升入泰清，
時下玄洲戲赤城，
帝若學之臘嘉平。

街頭小兒吃了盧生的糕餅糖果，唱得越來越有勁，雖然不懂歌詞的意義，也是輾轉相授，後來大人也跟著唱起來，最後傳到始皇耳中。

那天，他在南書房由趙高隨侍。以前皇后在的時候，除了趁始皇及皇后不在，帶著宮女打掃南書房外，趙高是進不了南書房的，因爲皇后對他的猥瑣諂媚醜相有說不出的厭惡，只要他在場，她總是眉頭緊皺沒有好臉色。

皇后很少外出，偶爾和始皇同出，她也獨自乘坐鳳輦車，從不和始皇同乘，因爲她看到趙高駕車的樣子就想吐。

但現在皇后已死，蒙武夫婦又告退歸隱，遠居渭水農村，他找不到一個可以討論心事的人，於是趙高乘虛而入，變成始皇訴說心聲的對象。

那天，始皇聽到宮中有人唱這首歌謠，笑著順口問趙高說：

「這首歌謠據說在咸陽傳唱很久，裡面有些詞的意思朕還不能全懂，你能爲朕解釋一下嗎？」

「陛下聖明都不能解，奴婢不懂的地方更多！」趙高誠惶誠恐的說。

「那是否能找到人解說呢？」

趙高故作思索狀，一會又裝出好不容易想到的樣子跪稟說：

「奴婢聽聞燕地來的盧生深通仙道，也許他會知道。」他繼續又作考慮狀，似乎有話不敢說的模樣。

「趙高，你吞吞吐吐的幹什麼？」始皇知道他這個毛病，他從不願主動獻議，總是要始皇逼問，他才肯說出。

「奴婢大膽稟奏另一件事，陛下思念皇后過度，常常致病，盧生除了明白仙道以外，還深通召魂之術，陛下大可一試。」

「眞的？」始皇驚喜的問。

「奴婢也只是聽說而已，不敢肯定，據說盧生還會看前生。」趙高謹愼的回答。

「何謂看前生？」

「就是施用法術讓一個人看到自己前生是什麼。」

「哦！」始皇不再說話，因爲他對這沒有興趣，他今生功業地位不但超過他的祖先，而且跨越三皇五帝，要是推溯前生，他只是小國國君，甚至是個櫛風沐雨僅能糊口的小民，那豈不是會打擊他的自尊！

「明晚召盧生至南書房。」始皇最後如此說。

12

盧生四十多歲，長面隆鼻，淡淡的長眉，留著三綹長鬚，配上白色儒衫，顯得飄逸出塵，眞還帶三分仙氣。

他向始皇行禮就席位後，始皇首先發問說：

「有關茅初成近日在華山得道、白日昇仙的歌謠，先生是否有聞？」

「臣早有所聞，難道說這首歌謠已傳到陛下耳中？」盧生故作驚訝的說。

「正是如此，而且朕對歌謠的末一句很感興趣，只是不明白該作何種解釋，所以特地請先生指點。」

「臣不敢，」盧生在席位上俯首行禮謙謝，然後徐徐說道：「這首歌謠前兩句是說茅初成修仙成功，白日乘龍駕霧升天，玄洲和赤城都是指地上人間，末句則是說陛下也有仙根，可以修煉得道跟他一樣，不過要先將臘月改稱爲嘉平。」

「改月號和修道有什麼關連呢？」始皇仍是大惑不解。

「臘月在夏朝名曰『清祀』，殷朝改爲『嘉平』，到周時改爲『大臘』，又名『臘』。臘月爲一年中陰氣最重，但也是陽氣積蓄最多之月，所謂否極泰來，一元復始的春天就跟在後面，陛下改稱臘爲嘉平，就表示要多積蓄陽氣，培植生機，不要殺伐太甚。」

「哦，這裡面還有這許多玄機，」始皇注意到他最後一句話，但他不願意和盧生討論政事問題：「朕聽說先生通召魂之術，不知能不能爲朕召亡魂？」

「亡魂可召又不可召！」盧生正色說。

「爲什麼？」始皇驚異的說。

「這位亡魂若尚未因罪入地獄，或者是也未成仙，猶在人間飄蕩，可以一召即來，假若已不在人間，就必須上窮碧落下黃泉，不容易找到了。」

「不在人間就完全沒有辦法召來了嗎？」始皇失望的問，因爲他相信，以皇后這樣賢淑寬厚，應該是早登仙界了。

「也不盡然，」盧生神祕兮兮的說：「只不過要上窮碧落下黃泉的去找，得花費不少的時日，消耗臣的精力很大，不知陛下想召的亡魂爲誰？」

「朕一直思念皇后，想找她來問問別後情形，先生是否可以助朕完成這項心願？」始皇誠懇的說。

正如始皇所擔心的，盧生皺眉沉吟很久才說：

「皇后賢德，恐早已登仙界，臣要是七重天府、七十一名山仙洞一一查詢，恐怕需要時日太久。」

「但據宮人說，她們常在宮中發現皇后靈魂出現，而且她也會常到朕的夢中。」始皇此時內心非常矛盾，他希望皇后已成仙，但又盼她的鬼魂仍在人間，讓他時時能以見到。

「不然，」盧生說：「這不表示陛下就可看到皇后的亡魂。」

「爲什麼？」始皇不解的問。

「眞說來，人有三魂，一曰身魂，二曰實魂，三曰虛魂。」

「願聞其詳。」始皇甚感興趣的說。

「所謂身魂就是寓居在人身體內的魂，生時主宰著人的一切思想與活動，死後此魂脫離人身即逐漸消失，宮人見到的是這種魂，乃是因爲皇后新死，身魂猶未完全散去。正如蠟燭熄滅，燭心短時間仍會有火光一樣。」

「那朕夢中所見到的呢？」始皇忍不住發問。

「那是虛魂，這個魂無所不在，無處不至。人活著時，它能遨遊千里以外，也能到別人夢中，但發生不了什麼具體的作用。人死後，這個魂就存在於宇宙虛無飄渺之中，它能出現在人前，也能進入別人睡夢中。我們常夢到不認識的陌生人，以及不論日夜，稍一失神，就會看到幻影，聽到人聲，都是屬於這類的鬼魂，它本身沒有意志，也不識人，所以無法招之即來，揮之即去。」

「那實魂呢？」始皇越聽興趣越濃。

「實魂在人活著時，沒有太多的作用，除非你有修煉之法，將它聚煉成元神，也就是道家所謂的元嬰，它可煉成水火不侵，而且具有神通廣大的形體，這比白日昇天，連同肉體得道，要低一層，但成仙以後，仍然是殊途同歸。」

「那一般的人死後，實魂如何了呢？」始皇聽得津津有味。

「一般人死後，實魂就因生前行善或爲惡，由上帝決定上天堂享樂或下地獄受苦。這種鬼魂沒有形體但有意志，也能有意進入別人夢中，或是經過召魂術，具體出現活人面前。一般祭祖、投夢等等，全是實魂在起作用。」

「那朕請先生招來皇后的魂就是實魂了？」

「正是！」

「先生願爲朕效勞否？」

「臣衷心願意，只是皇后登升天界，臣得費時間找。」

「找到以後，朕是否可以天天和皇后見面？」始皇滿懷希望的問。

「那……恕臣冒犯，那絕對不可以！」

「爲什麼？」

「不說臣精神耗費不起，連召三次，臣就會大病一場，連召十次，臣恐怕就難再活在人世。而且陰陽有隔，相見太多，也會折陛下的陽壽！」

「那讓朕見一見皇后，問問她別後如何，朕就心滿意足了！」始皇長長的嘆一口氣，很久一會又問：「先生需要些什麼交代趙高辦理，只要能見到皇后，朕是在所不惜的。」

「是，陛下，臣自會和中車府令商量辦理，明天臣即在居處作法，尋找皇后下落，找到後約定時間，再向陛下稟報。」

「好。」始皇點點頭，又長嘆了一聲。

在咸陽宮一間密室裡，燈光黯淡，所有的燈燭都熄掉，只留下香案上一對白色蠟燭和壁上一具人形托燈。

室內香煙裊裊，檀香味瀰漫全室。

香案上供滿鮮花時果，香案後隔著一道白色紗帳，一個宮女裝扮成皇后生前模樣，在紗帳後席案前坐著。

這個宮女長得和皇后年輕時非常相像，眉目之間神情和動作也極相似，再經過精心化妝，簡直就像皇后復生。

她靜靜的坐著，垂眼低眉，活生生皇后生前沉思的樣子。雖然隔著一層紗帳，仍然看得十分明顯。

盧生側坐在紗帳後面，他先向坐在香案前的始皇行禮，復座後向始皇說：

「陛下要目不轉睛的看著皇后尸主，也就是這名宮人的眼睛，極力想著皇后生前你最愛看的動作，心中反覆唸著你最喜愛聽的皇后所說過的一句話。陛下必須心無旁騖，意志集中，皇后仙駕才會降臨！」盧生交代說。

「皇后遠居渤海仙府，到此不知道需要多少時間？」始皇心中迫不及待的想跟皇后見面，因而有此一問。

「皇后神仙之體，既能騰雲駕霧，又可行縮地之法，渤海至此，只不過一瞬之間，陛下現在開始凝聚心志，臣要作法了！」

盧生說罷不再多話，而是嘴裡唸唸有詞，好像唱歌又好像唸詩，聽不清他唸唱些什麼，但漫長而單調，一再重複，聽久了會使人頭暈。

可是室內沒有別的聲音，連燭火無風都不搖動，始皇只有聽他唸。

他按照盧生的話，專心注視尸主的眼睛，他最喜歡看的也正是皇后那雙明媚靈活的眼神。他反覆想著皇后生前所說的他最愛聽的一句話：

「嬴政，假若有來世，我願生生世世都這樣服侍你！」

逐漸他進入了恍惚狀態，就和那晚在湘君祠一樣，似醒似睡，似眞似幻，盧生的身影已不見，紗帳後面只坐著那名宮女尸主，但他意識中已當她就是皇后。

這時他聽到一陣笙樂，和湘君出現時甚爲相似。

端坐的尸主突然抬頭發話，活生生的皇后出現：

「小柱子，大老遠的找我來做什麼？」

標準的邯鄲口音，但聲音細小，聽不清是皇后的聲音，不過，他越仔細辨認越像。

尤其是小杜子這個稱呼，可說只有他和皇后兩個人知道。他八歲時在邯鄲，皇后牽著他的手在大街小巷遊玩時，總是這樣稱呼他。結褵以後，這種稱呼只有在床笫燕好，她才以呻吟囈語的方式喊出。正式場合她稱他陛下，兩人私下談話，她喊他嬴政。

不錯，是她來了，這點假不了。

「玉姊，別後可好？」他深情款款的問。

「居住仙府，不畏寒暑，不侵水火，無飢無渴，隨心所欲，怎麼會不好！」皇后笑著說。

這時中間的白紗帳似乎完全消失，他和皇后面面相對，她又恢復到二十多歲最美麗成熟的樣子。

他衝上去想抱她，卻爲她出聲制止。

「小杜子，不要碰我，如今我是清淨聖潔之身，爲你骯髒凡俗的手觸及到，我就永遠回不去了！」

「那豈不是更好嗎?留下來陪我。」始皇笑著說。

「你倒好，只是我會墜入萬劫不復！」皇后不高興的說：「你這個自私的毛病還未改。」

接著他們談了一些閨房私事，始皇認爲這些都是只有他和皇后知道的隱密，這時候他完全放棄懷疑，眞正相信坐在他面前的就是皇后本人。

「我來有限定的時間，以後要找我也不容易，現在你還有什麼事要對我說的？」皇后問。

「近來咸陽流傳一首歌謠，說我也可以學道成仙，你認爲怎樣？」始皇反問她。

「你想成仙就必須先戒殺，殺孽太重就成不了仙，不墜入地獄就算好的了。」皇后嚴肅的說。

「我是天之驕子，又身爲天下之主，不殺人怎麼能治理國家？尤其天下初定，很多人還心存叛亂！」始皇不服氣的反駁：「當你開墾一處荒地時，毒蛇猛獸怎麼能不殺？毒蟲蚊蚋怎能不徹底消滅？」

「嬴政，你引喻失義，強詞奪理，」皇后微笑著說：「上天有好生之德，毒蛇猛獸也有牠們生存的權利。所以古時大禹治水，爲生民開闢立身之地，也只是將牠們驅逐深淵森林，並沒有趕盡殺絕！何況六國不是蠻荒，人民也不是毒蛇猛獸。」

「不在其位，不謀其政，妳在生時，凡事都有我頂著，不知道心存叛亂的人，比毒蟲蚊蚋還可怕煩人，防不勝防！」

「不和你多說了！」皇后怫然不悅的說：「戒殺不戒殺在你，只是將來回不了天上星位，不要怪我沒警告過你！」

「唉，」始皇嘆了一口氣：「我全聽妳的，今後盡量不殺人，好了吧？妳還沒回答我能不能成仙，將來能不能和妳在一起？」

皇后沉思了半晌，方才回答說：

「男女愛戀情慾，本來就不是仙家所應有的，念在你對我痴情，我指點你一條明路，除了切記戒殺外，你可命盧生到渤海仙島找我，我會要他帶回一本修道祕笈給你。」

「多謝玉姊。」始皇拱手道謝。

「總算夫妻一場，我也該幫你做點事，」皇后嘆了一口氣，也是臉露不捨的說：「時辰已到，我該回洞府了。」

「我成仙有望，大秦是否能萬世傳下去，玉姊也請明告！」始皇念念不忘這兩個問題，只得到一個答覆，當然他要抓緊這個機會問。

「嬴政，你怎麼還是如此痴妄，貪戀權勢？鑒往可以知來，我還是這句話！」

突然，始皇耳畔又響起那陣仙樂聲，聞到一種較檀香更為濃郁的香味，他看到皇后起身欲走，他上前想拉，卻為席案所絆倒，暈了過去。

等他醒來時，室內情景又恢復先前。

扮尸主的宮女仍然坐在白紗帳後面，垂首低眉，似乎從未動過。

盧生坐在原地，口中唸唸有詞，好像唱歌又好像唸詩。

始皇決定按照徐市前例，派盧生往渤海神仙洞府，可是盧生拒絕帶那麼多船，他只要樓船兩艘，童男童女各五十人。

始皇並下令，今後臘月改稱嘉平，每里賜米六石，羊兩隻。

14

在蘭池皇后棺槨厝殿，始皇和以往每天一樣，佇立棺槨前面，仰首凝望著皇后的畫像。

厝殿建築得和寢宮一樣，殿中間佈置有如南書房，棺槨就停在皇后常坐的方向。中殿周圍隔有數間廂房，有寢室、起居室和樂室、御膳室等等，設備裝飾、宮女近侍、郎中、衛卒，編制齊全，只是人數較少，有如一座具體而微的行宮。

但始皇每天來都有他專用的甬道，除非他召見有關人員，否則來去自如，誰都不知道。

有時候他也會在寢室小睡，爲的是想皇后入夢，說也奇怪，他睡在這裡，夢到皇后的機會的確多些。

他仗著自己的武功，每次來只帶了四名西域力士護衛，這些黑髮碧眼、隆鼻虬髯的力士，一個個身高九尺，胸寬腰圓，混身肌肉墳起，佩著新月彎刀，一般幾十個人都不會是他們的對手。

始皇自己有了荊軻事件的前車之鑒，他微服外出時都是一身勁裝，腰佩龍泉寶劍。據專家考證，龍泉劍爲天下第一劍，鋒利得可以削斷任何其他的寶劍。

此刻四名力士正在殿門外等待及擔任警戒。

始皇凝視著皇后畫像，口中喃喃的說：

「玉姊，昨晚妳去到咸陽宮，是耶？非耶？是眞實？還是夢幻？」

有時候連他自己也感到奇怪，爲什麼他對她的愛戀，自從邯鄲開始，一直到現在都沒冷卻過。無論是她年輕貌美，或者是近年來已年老色衰；不管是長時間的別離，或者是從早到晚在一起，他對她的這股感情烈火始終沒有熄滅，甚至是稍減過。

他們的情愛早就超過男女相互吸引的範圍和程度！

正當他在棺木前面低迴沉思時，突然屋樑上飄下來一個人。說他是飄下來的，乃是他落地無聲像靈貓，又像是一片飄自樹枝的落葉。

始皇還來不及出聲示警和拔劍，一把牛耳尖刀已架在他的喉頭上。

始皇到底是始皇，稍一驚愕以後就鎮定下來，他仔細打量來人，只見是一個滿頭蓬髮，一臉虬髯的矮個子。他想起老人的話，一位君王死也要像個君王。他毫無懼色的徐徐問道：

「你叫什麼名字？受何人所指派？」

「我就是屠狗者，什麼人夠資格指派得動我！」屠狗者傲然的說。

「屠狗者？」始皇心念很快一轉，卻想不出有行刺他可能的這號人物。

「今後也許應改名為屠龍者，如今我就要宰殺你這條孽龍！」屠狗者嘻然而笑。

「你是六國中哪國的餘孽？」

「餘孽？」屠狗者臉上仍掛著笑容：「我乃天下人，過問天下事，七國的那些昏君庸主還沒有一個值得我賣命的！」

「那你是為誰賣命？」

「荊軻你該認識，他是被你所車裂的；高漸離擊筑給你聽，你卻砍了他的頭，這你也應該記得！」屠狗者帶點調侃意味的說。

「原來是幫他們報仇的，好吧，你動手！」始皇挺了挺胸，將頭仰高。

「看你這種視死如歸的神情，不愧是天下之王，可見傳言常常有誤！」屠狗者讚嘆的說。

「傳言說些什麼？」始皇不禁好奇的問。

「說你在荊軻追擊你時，狼狽得有如狸貓爪下戲弄的小鼠；高漸離一擊不中，你嚇得臉色變白，渾身顫抖。」屠狗者有意刺激他，看著他臉上神色的變化。

始皇一開始的確是暴怒，氣得滿臉通紅，但再一想，死都要死了，這點傳言的侮辱算得了什麼！很快神色又變得泰然。他威嚴的向屠狗者說：

「動手吧，你還在等什麼？」

屠狗者皺了皺眉頭，又搖搖頭說：

「其實我已跟蹤觀察你多日，知道你每天來這裡探看妻子，而且你們夫妻心靈交談時，不會有人敢進來打擾你們。」

「你眞是有心人！」始皇深深嘆了一口氣。

「皇后賢名天下皆知，有她在，你少做了不少暴虐事，看在你對她痴情不變的份上，我也不忍心在她靈前殺你，走，到裡面去！」屠狗者牛耳尖刀一緊，厲聲的說。

「將你的刀放下，朕自己會走！」始皇輕輕推開頸上的刀，領先跨著大步走向起居室，臨行他還回顧了一下殿門口。

「不要再等你那幾個什麼西域力士了，」屠狗者笑著說：「在你和別人眼中，他們是四頭猛獅，可是在我手上，他們還不如四隻病貓。」

15

「你將他們怎麼了？」進到起居室，始皇第一句話就是如此問。始皇幾年來到此，全是由四人隨從護衛，愛屋及烏，對這四個忠心耿耿的西域人多少有份關愛。

「沒怎樣，兩個人膝蓋脫臼，兩個人手關節骨折，現在昏睡在殿門陰暗處，口中含著石頭，屠狗者只喜歡屠狗，不喜歡殺人。」屠狗者笑嘻嘻的說。

始皇整整衣冠，面向南坐在席案前面，神情蕭索的嘆了一口氣說：

「想不到朕身為天下之主，卻死在一個屠狗者之手！」

「看你這種死不瞑目的樣子，屠狗者也於心不忍，好吧，讓你死得像個勇者。聽說你跟中隱老人習得一手好劍法，可惜身為帝王，從來沒有機會施展，今晚讓你臨死之前顯顯身手。」

屠狗者完全是一副狸貓玩老鼠的模樣，不禁激起了始皇的豪氣。他起立拔劍，當胸指天，左手握住劍訣，兩指向地，好一招「指地問天」的起劍式。

龍泉寶劍出鞘，一陣龍嘯之聲，在燈光下劃出一道五彩長虹；靜止不動時，清澈明亮，又如一泓秋水。

「好劍！」屠狗者忍不住喝采：「是龍泉劍？」

「正是。」始皇一劍在手，神情不再像帝王，純粹是位豪氣干雲的劍士。

「看外表，你似乎得到中隱老人『隱者之劍』三成功力，但『隱者之劍』著重在瀟灑飄逸，卻不是你這個在位日久的帝王能練到十成火候的，進招！」

始皇寶劍平舉，一劍當胸刺去，這招「開門見山」看似平淡無奇，卻將屠狗者硬生生的逼得後退一步。

「好！果然不愧中隱老人傳人！」屠狗者口中發話，手上卻一點沒有怠慢，他又用出對付魯句踐的那招絕招，牛耳尖刀順著劍身上削，想逼始皇寶劍脫手。

但中隱老人傳人就是中隱老人傳人，雖然只練到三成功力！就在牛耳尖刀快觸及劍鍔時，始皇右手一轉，姿勢美妙的劍柄向下，輕敲牛耳刀身一下，發出鏗然一聲，震得屠狗者手臂一麻，他又喝了一聲「好！」，口中說道：

「『隱者之劍』就是『隱者之劍』，三成火候也有這麼大威力！只不過你要是練到五成，這招擊中的不會是刀身而是刀柄，我想刀不脫手也很難，要是練到十成火候，劍柄所及的當是我手腕穴道，這隻手就算廢了！」

始皇不答話，專心悶攻，屠狗者遊刃有餘的見招拆招，口裡說出始皇劍招的錯誤，似乎老師在教學生一樣。這樣交手了大約二十多招，屠狗者抓住一個破綻，又是牛耳尖刀順著劍身上削，這下始皇來不及反應，寶劍哐啷一聲落地，牛耳尖刀又架在始皇脖子上。

「要不要再試？」屠狗者笑著問。

「試一次不行，多試也無益。」始皇自知差他太遠，多次仗著神兵寶劍又佔了長重的優勢，但想削他的刀，就被他靈巧避過，而且看剛才的打法，他根本還未盡全力。

始皇又面南而坐，這次不再說話。

「甘心認輸就死了？」屠狗者還是笑著問。

始皇沉默的點點頭，端肅臉容等死。

誰知屠狗者並未割他喉嚨，而是抽回牛耳尖刀，和他面對面坐下來。

「要殺就殺，士可殺不可辱，何況朕乃天下之主！」始皇威嚴的說。

「十多年來，我都處心積慮的想找機會殺你，」屠狗者此刻收拾起玩世不恭的嘻笑，正色的說：「但發現到你是老師的關門弟子，我有點下不了手。直到你殺了高漸離，我再下決心殺你，可是見到你對皇后的忠貞和一往情深，生前死後始終不渝，我又覺得你可愛，手更軟了。」說到這裡他竟然嘆口氣問始皇：「我該把你怎麼辦？」

「老師？你也是老爹的弟子？」始皇大吃一驚。

「老師門人滿天下，這沒有什麼稀奇。眾人中他最鍾愛的是你，你也最有成就，屠狗者說起來有辱師門。」

「看你將一把不起眼的牛耳尖刀使得出神入化，應該是得到老爹的眞傳了。」始皇有點羨慕的說。

「練到老人八成的功力，你看不出我使的也是『隱者之劍』劍法？」

「看著有點像，又有點不像。」始皇有點困惑。

「劍法並不是一成不變，而是隨著使用兵器的特點加以變化，我用牛耳尖刀能像用劍一樣刺、削嗎？」屠狗者笑著說：「但現在不是師兄弟論劍的時候，回答我，我該將你怎麼辦？」

「一切由師兄作主，受制之人沒有資格說話。」始皇長喟一聲，心裡想著——眞是虎落平陽，連隻狗都不如，平日他只要一發怒，就會流血千里，千萬人頭落地，如今受制，卻像條狗在屠狗者腳下乞憐。

「嬴政，你好大喜功，害得天下百姓久戰之後不得休息，其罪一；你嗜血好殺，本來罪不及死的人你濫殺，其罪二；荊軻刺你，各有立場，即使該死，也不應死後分屍，其罪三；還有高漸離……」

「師兄，凡事都要從兩方面去看，」始皇笑著說：「建道路，興水利，乃是爲百姓作長遠打算，同時我用的大多是昔日壓榨百姓的六國舊貴族、統治階級和罪犯，我無罪，其一；

除惡務盡，天下初定，舊有勢力深植民間，時時蠢蠢思動，不徹底根除，天下戰亂隨時會起，我找藉口除去這些人，我不認為有罪，其二，至於荊軻和高漸離，換了你是我，你要怎麼辦？」始皇侃侃而論，越說越興奮。

「看來你還有一項特長——能言善辯！」屠狗者笑著嘆了一口氣：「我一時找不到話駁你，但記住過猶不及，凡事適可而止！」

「師兄不想殺我了？」

「殺你洩恨只是痛快一時，但你死了，秦國會亂，天下又會陷於混戰，我只求你時時為百姓著想，」屠狗者搖搖頭說：「何況為你對皇后的眞情所感動，實在手軟！」

「你不為荊軻和高漸離報仇？」

「他們求仁得仁，無所謂仇不仇。」

「那師兄今後作何打算？留下來幫我！」始皇懇求說：「北方胡人、南方蠻子受了原六國勢力的煽動，現正有叛亂跡象，嬴政需要平亂的幫手！」

「你這是打蛇順棍上，我不殺你，你反而要我留下幫忙了，」屠狗者一古腦的搖頭：「劍士和戰將根本走的不是一樣路線，這個你應該知道。」

「但老爹門下……」

「老爹門下出了不少名臣良將，是吧？他是因材施教，你是王者之材，所以他教你帝王學，而我是隱者資質，所以要我專心練『隱者之劍』。好了，記住我的話，好自爲之！我走了。」

「走」字剛出，只見席案燭光一搖，屠狗者跳出窗戶，轉眼就沒有了影子。

始皇喊來輪值郎中，在殿門陰暗處找到四名力士，情形果如屠狗者所說。

他爲了敷衍事情，下令關中大索十日。

第21章

南征北討

1

秦始皇帝三十二年。

始皇感到人生無常，生離死別只在瞬息難料之間，再加上那首嘉平歌謠和似眞似幻的皇后出現，他決心修道成仙，以與皇后登錄仙籍，萬世雙修，不再有分離隔世之苦。

除了先前派往東海仙島求「青春之泉」的徐市，好幾年都沒有消息傳回以外，他派往渤海仙山洞府取祕笈的盧生也是消息全無，但他沒有就此灰心，而是加派韓終、侯公、石生等人，分赴天下名山去求取長生不死之藥。

但他想修仙，國事卻不肯輕易放過他，北方的雲中、九原等郡紛紛傳來匈奴寇邊的消息。

他和李斯、蒙恬等人商量的結果，所得到的結論是：非徹底解決這個問題不可。

始皇決定自己帶領李斯和蒙恬巡視北邊，朝中由右丞相馮劫和蒙毅留守。

此時丞相王綰已告老歸休，李斯升爲左丞相，廷尉一職則交由蒙毅擔任。

蒙恬也因戰功官拜內史郡守，領咸陽政事。

蒙恬蒙毅兄弟，如今人已成熟，又經過經歷磨練，分別顯示出在文治武功方面的才華。

由於對蒙武的特別感情，始皇對蒙恬兄弟也是另眼看待，以前他有什麼心底難決的事都會找蒙武傾吐商量，這種信任和依賴現在完全轉移到蒙恬兄弟身上。

尤其是蒙毅，他外表酷似父親蒙武年輕時候，舉止談吐，全有大臣之風，更得到始皇對任何人都未曾有過的寵愛，出則參乘，入則侍坐，幾乎一刻都少不了他。

由於蒙毅家世與眾不同，諸將相雖心存嫉妒，但也不能不服，都知道無法和蒙恬兄弟爭寵。

唯一使始皇感到有點不舒服的是，兄弟兩人都和他長子扶蘇感情很好，而跟他幼子胡亥格格不入。

始皇這次巡狩北方邊境，和每次一樣帶了大批人馬。

他沿著德水直道北上，一直到達九原郡治。

首先他召集了一次會議，除了隨他來的李斯、蒙恬諸將相和郡守參加外，另外還請了當地專門研究匈奴的學者列席，由帶頭的學者韓廣報告匈奴淵源。

「嚴格說來，匈奴與中原民族應該算是同種，與其他蠻夷非我族類有所不同。」韓廣首先就來了這樣幾句開場白。

始皇和所有與會者聽到他這樣說，眞是前所未聞，全都被引起興趣傾耳而聽。韓廣掃視一下始皇和在場人的反應，明白已抓住他的注意，於是開始侃侃而論。

「匈奴其實是夏禹的後裔。夏桀暴虐荒淫，湯王推翻夏朝，將桀放逐到鳴條，三年後桀死，他的兒子獯粥帶領著族眾避居到北方荒野地帶，過著隨水草而居的遊牧生活。由於獯粥接收了桀的眾多姬妾，生下了很多子女，這些子女又各自率領族人，繁衍綿延的結果，就產生了很多部落。」

「原來如此，那歷代君王懷柔，稱之爲兄弟之邦，也不算太委屈了，」始皇點頭會意。「能否請韓先生講講他們的民族習性和風土人情？」

「臣遵命，」韓廣在原席位上俯首行禮：「匈奴各部落平時分散，各自逐水草畜牧而居，所畜大部份爲馬、牛、羊，和中原大致相同。但另外有些奇異家畜卻是中原所見不到的，譬如駱駝，這種怪獸巨大無朋，背上長著兩座肉峯，負重超過數匹馭馬，而掌肉構造特別，行沙漠有如平地。

另外，還有以公驢配母馬，生子謂之騾，耐力和體力都遠勝父母；而以公馬配母騾，生子謂之駃騠，乃千里良駒，據說生下七天，就比母親還跑得快，不過交配繁殖困難，百次交配難得成功一次，在產地也視爲異寶，到達中原更是難得一見。」

「這種馬要是能找到六匹爲朕駕車，倒也不錯！」始皇讚嘆。

「只要能掃蕩匈奴，駃騠再難找，六匹總該是湊得攏的。」九原郡守任囂隨即啓奏。

始皇哈哈一笑：「韓先生請繼續講！」

「匈奴雖然逐水草而居，沒有城郭村落，然而也有農田耕作和土地所有權，但不用文書，而是口頭約束，說話算話。小孩出生就隨父母在馬上生活，剛會走路就自己以羊代馬，騎在羊背上自得其樂，拿著弓箭射鳥射鼠，作爲遊戲。再大一點就練習馬術，射狐射兎，用作食物。等到成人後，男人皆成好武士，能拉強弓，擅長各種長兵器和接身搏鬥。他們遠距離用弓箭，可說每個人皆百發百中；近距離則用刀用鋋，凶悍莫當。平時畜牧射獵，戰時則全民皆兵，可說自小就成長在殺伐的環境，所以侵略搶奪乃成爲天性。」

「要跟這種民族爭一長短，邊境黔首也必須全民皆兵，平時耕種各就百業，一旦有警，全能上馬殺敵方可。」始皇有感而發，看了蒙恬和任囂一眼。

「匈奴民族性好利，利則進聚，不利則作鳥獸散，不像中原人據地死守，以敗退爲恥，所以防備和追擊都甚爲困難。就像麻雀一樣，有食來聚，遇危險各自飛走，連蹤影都難找到，這是歷代與匈奴接戰最痛苦的地方。

至於風俗方面，自君王以下，大家吃的都是家畜和飛禽野獸的肉，穿牠們的皮革，臥具也全是獸皮製成。不過，他們無所謂禮義孝道，青壯人貴，老弱者賤，凡是有食物，青壯者食其肥美，剩下來才讓老弱者吃。父親死後，所有妻妾全歸兒子所有，只有親生母親除外，無所謂亂倫；兄弟死後，妻妾也全由弟兄接收分配，就和牛羊與其他財產一樣。」

「這應該是和他們生活條件有關。」始皇若有所悟的說。

「匈奴屬地時大時小，匈奴民族時分時散，」韓廣喝了一口茶又繼續說：「其君主稱單于，置左右賢王，左右谷蠡王，左右大將，左右大都尉，左右大當戶，左右骨都（異姓）侯。自左右賢王以下至當戶，大者萬騎，小者數千，凡二十四長，立號爲「萬騎」，諸大官皆世代相襲。

至於法制方面，歲正月，諸長小會於單于庭前，五月大會龍城，祭其祖先、天地、鬼神。秋季馬肥，則課校人畜，統計數目。其法甚爲簡便，私鬥先拔刃尺者死，偷盜的沒收家產；小罪斷肢，大罪者死。囚禁最多不超過十天，所以一國之中，囚犯只有幾個人而已。喪葬也講究棺槨金銀衣裘，但沒有封樹和服喪的習俗，單于死，近幸臣妾殉葬者常多至數千百人，作戰時所俘財物人員皆爲己有，所以人人好戰，視爲行獵一樣。」

在說完這些以後，韓廣還談到其他匈奴與秦人的種種不同處。

接著是九原郡尉報告當前敵情，說明邊防最痛苦之處在於防線遼闊，匈奴騎兵機動性強，常常突然集結攻入，飽事擄掠而去。同時，並不是每次都是大股人馬，有時數千騎，甚至數百騎也會滲入搶掠秦人家畜財產，然後帶著俘虜揚長而去，就如同蚊蚋吸血，只能臨時驅散，無從根絕，邊境守軍眞是不勝其煩。

依次還有其他官員發言，莫不是強調匈奴難纏。

始皇最後的結論是：匈奴爲患的問題，必須徹底根本解決。

2

休息數日後，始皇留下李斯等文官在九原城內，會同郡監御史討論民政興革，自己帶著蒙恬、郡守任囂及郡尉，由六千虎賁軍護衛巡視邊境。

任囂原爲楚人，曾隨王翦平定閩越等地，積功升至九原太守，王翦在始皇面前推薦他爲智勇雙全。

他四十多歲，身材魁梧，頭大五官也大，臉色紅潤，留有虬髯短鬚，說起話來中氣十足，聲如洪鐘。

他建議始皇，現在正是中秋馬肥，農作物收割，家畜繁殖最盛季節，也正是匈奴南下擄掠最佳時機。德水淤塞，有些地方河面狹窄而且水淺，騎馬不需舟楫就能通過，所以爲防萬一，應該多帶人馬。

始皇聽了他的建議，只是笑笑說：

「人馬帶多了會形成擾民，北塞荒涼，人煙稀少，地方供應不足，反會誤了行程，任卿既然擔心，就多帶六千人好了。」

於是除了六千虎賁軍外，郡尉又帶了六千郡卒。

始皇一行沿著德水邊行進，見到很多匈奴新入侵的慘狀。沿河邊沒有城市，只有一些村落，大者上千人家，小者只有數十戶。這些人家都以土磚築牆，構成壁壘，一有匈奴入侵，相互示警，小村莊的人全退入大寨，是保命，也是協力抵抗。

尤其是年輕男女，個個奮勇殺敵，義不顧身，因爲他們知道，被匈奴擄走，比死更慘。

匈奴每攻破一處寨子或者是小城，都有他們一套典型的作法：年老病弱者全部殺光，十歲以下的兒童也完全不留，年輕力壯的男女全都帶走，撤退時幫他們背負擄掠品，到達營地後就歸俘虜他們的主人所擁有，跟牛羊家畜一樣，也屬於財產之一。男的做奴隸，女的則做婢女或是充當妻妾，主人玩厭時可互相交換或是買賣。有時也可以由家屬籌錢集體贖回，但這些回來的人，多半精神上都有了問題，身心上的創傷，一輩子也復原不了。

始皇經過一路上的觀察以及與地方父老交談的結果，發現情形比他想像得還要糟。

河套一帶，土地肥沃，水草鮮美，適合耕種，更合乎放牧條件，人口雖少，農產卻豐富，牛羊家畜遍地，有點胡人之風。

但九原郡人口稀少，能徵集的兵力隨之也少，匈奴入侵，趕快集中城內固守，根本談不到驅敵，偶爾聯合數縣的力量，驅逐一些小股入侵的匈奴，就算是大功一件，向朝廷報捷，朝中上下都會大事慶賀。其實所報斬敵首級數，全是由割掉百姓屍體的頭來充數。

更有少數不肖士卒竟殺害百姓，以首級領功。始皇聽到這些惡劣事實，那天在行進路上休息中，他忍不住向任囂說：

「任卿剛上任不久，這些劣蹟不能算在你頭上，但你得多費點心思想出對策。舊趙良將李牧鎮守雁門關時，情形和這裡類似，但他能大破匈奴十餘萬騎，其後十多年間，匈奴都不敢靠近趙邊城。」

「臣願盡力而爲！」任囂俯身說：「其實，假若陛下恩准臣說實話，不以臣是進謠言，譭謗歷代前任，臣敢說眞實情形比地方父老所說的更可怕！」

「什麼?」始皇差點驚跳起來：「你說，知無不言，言無不盡，說錯了朕也絕不怪你。」

「河南一帶，偏僻荒涼，內地人都不肯遷移到此，因此造成人口稀少兵力薄弱。以往匈奴每年春秋兩季按時南下牧馬，每每有留下來過冬的。後來看到九原郡本身無力逐退，有些匈奴部落越來越膽大，就此定居下來，以搶掠秦人家畜爲生，這類的匈奴年年都在增加。匈奴人數越多，地方政府越是只有閉關自守，不敢聞問，百姓求告無門，竭力抵抗的，全遭到屠殺之禍，最後只得自行籌錢向這些匈奴示好，並按時繳納賦稅，再過若干年，河南恐怕不再是大秦土地了！」

始皇一開始憤怒，繼而沉吟，最後他轉向蒙恬說：

「蒙將軍，你將此事謹記在心，回咸陽後我們要好好商議，徹底解決這些事。」

「是，陛下，臣一路上都在思索對策！」蒙恬恭敬的回答。

「可想出什麼對策來了？」始皇欣喜的問，他對這位愛將一向有信心。

「大致的構想是有了，執行細節還待眾臣商議，由陛下聖裁，只是怕這個構想思慮尚不成熟。」

「說出來聽聽，說錯了不要緊。」始皇微笑著鼓勵。

蒙恬指著在陽光下閃爍耀眼的德水說：

「依臣的想法，事情要分兩部份進行。第一部份由地方政府擔任。」

「任卿，你聽好了，有什麼意見等下可提出來。」始皇轉向任囂說。

「臣洗耳恭聽。」任囂靠得蒙恬更近一點。

「對付匈奴的『麻雀戰法』，地方政府應實施全民皆兵和『堅壁清野』策略。散居的民眾應納入大寨，無論男女老幼，皆應接受軍事訓練，並以行伍編組，平時各行其業，戰時各自有任務。一旦有警，牛羊家畜應趕入大寨，農作物需提早收割，來不及收割的農產品及納入大寨的財物徹底銷毀，不讓敵人得到絲毫。匈奴被逼攻堅，我則可以視入侵敵人的多少強弱，或集合數寨數縣力量加以圍殲，或集全郡力量予以殲滅或驅逐，這正是以前李牧用來對付匈奴的方法，這種戰法無以爲名，臣就姑且稱之爲『張羅捕雀戰法』。」

「好！」始皇不斷點頭：「任卿你看如何？」

「蒙將軍此計甚妙，只是對已盤據在河南之地的匈奴及大股入侵的敵人，猶嫌消極保守。」任囂委婉的提出異議。

「這本來就是暫時求得自保的做法，」蒙恬笑著說：「積極正本清源，還得靠第二部份策略。」

「哦？」始皇興趣濃厚的問：「第二部份又怎樣？」

「要想徹底解決胡患，爲萬千年子孫作長遠打算，朝廷必須調動大量兵力掃蕩河南之地，然後以河爲塞連接原燕、趙、魏所築長城，阻擋匈奴騎兵。最要緊是沿河實邊，將內地黔首移來，一來可以開墾，將荒漠變良田，二來可以擔任邊境防衛，匈奴入侵就不會像現在這樣如進無人之境！」蒙恬侃侃而論，說得頭頭是道。

「好！」始皇一開始興奮，繼而沉思：「調動大軍掃蕩不成問題，但移民實邊及修築長城耗費太大！」

「不如此不能長久徹底解決胡患！」蒙恬意氣風發的說。

「蒙將軍計劃可行！」始皇好大喜功的本性經蒙恬一刺激，又全部顯露出來：「細節回咸陽召開廷議討論。」

始皇不再說話，只是望著德水如帶，群峯重疊，沿岸土地肥沃，目前全都荒廢，極目看去，視線內都看不到人煙。還好胡人都是遊牧民族，不慣久居一地耕種，否則這多年來的疏於經營，這塊美地變成了匈奴國，中原各國還不知道，爲千秋萬世子孫打算，這一代應該辛苦點！

他們上了車馬再往前行，幾個時辰後才發現一處約有千來戶人家的大寨。

3

「蒙恬，今日行軍了一整天，士卒都勞累了，前面有個大莊子，正好休息一夜，朕也好找當地父老聊聊。」始皇對參乘的蒙恬說。

如今趙高已升爲郎中令，要留在咸陽負責宮殿警衛，已換了別人爲始皇御車。

蒙恬向那個大寨望去，卻發現情形不對，只見寨子裡火光濃煙四起，寨子外塵土飛揚，車隊再走近一點，看得出正有許多衣皮革，張旃旗的匈奴騎兵在圍攻這處大寨。

「說到匈奴，就眞的遇到匈奴了！」始皇是首次親身遇到匈奴騎兵，好奇遠過於恐慌。

「看規模人數不少，陛下，我們得趕快應變！」蒙恬護主責任在身，反而沒有始皇沉著。

正說話間，虎賁軍都尉和任囂帶著探騎來報。

「啓稟陛下，匈奴大約有三、四萬人圍攻大寨，」虎賁軍都尉說：「爲了安全起見，我們應該避開，另召大軍來勦。」

始皇看看任囂和蒙恬，意思是要他們表示意見。

「陛下，都尉的建議是正確的。」蒙恬說。

任囂在一旁不說話，始皇微笑著問他：

「任卿，你的看法如何？」

「臣斗膽啓奏，」任囂也是不慌不忙的回答：「爲了陛下安全起見，在敵人未發現我們以前，請陛下由虎賁軍護衛回程，另召九原大軍來勦。而臣守土有責，願率六千郡卒前去救援，否則將無法面對全郡子民。」

「這樣兵力會更薄弱……」虎賁都尉在一旁表示反對。

「朕也有保護子民的責任，望胡風而逃，將來也無面目見天下黔首。」始皇笑著說。接著他又問蒙恬：「蒙將軍，朕不想躲讓，又要顧及安全，你有什麼兩全其美的方法？」

「臣願率六千虎賁軍攻敵，任郡守帶領六千郡卒在此處高地佈陣保護陛下。」

「攻敵是我的責任！」任囂急著爭辯。

「不要爭了，」始皇仍然面帶微笑：「朕看這樣好了，步卒留下，由郡尉指揮保護朕，其餘郡騎和虎賁軍由你們兩個分別帶去破敵，朕就在前面高地觀戰！你們早去早回！」

一聲「遵命」之下，任囂和蒙恬各帶了騎兵四千向敵陣殺去。

臨行時，任囂指著一個騎白馬張華蓋的胡人說：

「看他領間的白狐裘和帽上的野雉尾，至少是大都尉以上的人物，擒賊先擒王，看我爲將軍抓來。」

「我不熟悉胡人品級，不過我一定也會抓隻老虎而不是小貓。」

兩人哈哈大笑，各帶屬下騎兵，驟風急雨似出了山道，分成兩側，雷霆萬鈞的衝向敵人後方。

始皇登上一處高地觀戰，四千步卒在山腰佈陣，嚴密護衛。

只見黑盔黑甲一色黑馬的虎賁軍，擺好衝鋒隊形，迅速而不亂的衝向敵人，初生之犢不畏虎，平日操練嚴格，眞正打起仗來也是一板一眼。

這些個個身手不凡的年輕人，根本未想到過會眞正作戰，如今要眞刀眞槍殺人，一個個都興奮莫名，何況在地方部隊的面前，絕不能丟皇家部隊的人！

穿黃色勁身戰衣的是郡騎，他們的人和馬的雜色一樣，老少強弱都有，不過他們富於戰場經驗，尤其是對付這些狡猾的胡人。

天下之主始皇陛下正在看著他們，他們當然不能讓這些平日養尊處優、擺擺排場，連胡人臉都未見過的漂亮小伙子，看扁九原郡的常勝軍！於是個個爭先，奮勇前進，他們的攻擊隊形可就沒有虎賁軍整齊，前前後後，零零落落，兩千人就拖散了很遠。

始皇開始還分得清這兩股黑色和黃色的洪流，但等匈奴發現，調動一部份人馬來抵禦，只見鐵騎奔馳，塵土飛揚，黑色、黃色、白色三股人流混雜在一起，再也無法區分。

漫天的灰沙中，只聽到戰鼓雷鳴，胡茄聲嗚嗚，各色的旌旗飄動。先是勁弩強弓發射的利箭，像密雨、像飛蝗，接著是短兵相接，殺聲、吶喊、兵器相碰觸的聲音相和相雜，引起始皇一陣莫名的興奮，他忍不住想：

「讓虎賁軍和胡人接戰，的確有如以金丸射鳥，太浪費可惜了一點，但這也是他們一生難逢的好機會。」

接戰不到半個時辰，突然另一種極淒厲的胡茄聲響起，胡人紛紛撤退。

始皇這次是親眼見到匈奴的「麻雀戰術」，他們不是分成幾路或幾個方向撤退，而是分成無數路、無數方向，由四方八面一哄而散，秦軍猶豫著不知追擊哪一股才好。

匈奴馬快，備馬多，又全是輕裝，片刻之間，幾萬人撤退得乾乾淨淨，留下的只是人馬的屍體，傷者全都帶走了。

秦軍大部份進了寨子，小部份在清理戰場。

蒙恬和任囂並轡來到始皇面前，雙雙下馬行禮。

「兩位將軍果然神勇！」始皇誇讚。

「全託陛下神威，輕易將敵擊退。」兩人異口同聲。

「兩位過謙了。」始皇愉快的說。

「不是謙虛，乃是眞話。」任囂接口說。

「哦，眞的？什麼道理？」

「臣聽到有個中原口音的人用胡語對那個大當戶說，他見過虎賁軍，知道虎賁軍一到，陛下一定就在附近，他們怕有大部隊已經跟來包圍，所以趕緊撤退了。」任囂說。

「看他們撤退這樣散漫，今後如何再成軍？」始皇有點不解的問。

「不然，」任囂恭謹的回答：「胡人撤退一般都指定了三個集合點，他們各自奔向第一個集合點，到了時候就趕向第二集合點，要是二個集合點都未趕上，他們就回老家去等。」

「這倒是個奇特的撤退法。」始皇驚奇的說。

「主要原因是他們都是同族人，很多都有父子兄弟血緣關係，而且在中原無處可去，這就是所謂置之死地而後生。」蒙恬說。

「不然，」始皇搖頭說：「將能帶心而訓練精良的部隊，想必都能做到，這應該是所謂至上無形，能隨各種情勢變化。」始皇若有所思的說。

4

雖然任囂一再勸諫，始皇應該轉程回九原，或者是到下一個縣城，但始皇堅持要進寨子。縣尉早就進莊通知始皇駕到的消息，村長連忙帶著全村老小出迎，因爲青壯正忙著拾死扶傷。

始皇在寨門口下車步行，打量了一下整個環境。

只見寨子甚大，土磚砌的牆高兩丈有餘，周圍還挖了連馬也跳不過去的護城壕，壕底全是削尖了的木樁或是竹籤，人馬跌下去，準是沒有活命。但如今有很多處都爲匈奴用土填平。

寨牆的四角有四處城樓，和一般縣城的型式一樣，每十多丈還有一處傳訊台，可以傳遞消息。

寨牆上到處躺著青壯者的屍體，有的肢體殘缺，有的腦漿迸出，一看就知道是被匈奴特有的武器——狼牙棒所擊死。

始皇再仔細一看，這些死者手上的武器更是可憐，有的是將竹桿木棒削尖；有的是用砍柴的斧頭和切肉刀；還有些人用的是鋤頭和鐮刀，更多的人什麼銅鐵都沒有，乾脆拿著一根木棒。

始皇看到這些死人的慘狀，不禁內心愧疚，兩眼欲淚。想不到他為了防止戰爭，下令收繳民間武器，卻要邊疆百姓受到如此大禍，這件事情要好好檢討，住邊境蠻荒的人為了防備野獸和異族侵襲應該例外。

這個寨子的人全姓魏，祖先只有幾家人從魏地移居此處，開墾畜牧，如今已繁衍到一千多戶。七十多歲白髮蒼蒼的老村長也就是這個族的族長。

他率領全村老小，由寨門沿著路的兩旁跪著迎接，他滿臉淚痕，哽咽著帶領家人口呼「萬歲！」

始皇連忙雙手扶起老人，語帶憐憫的說：

「老人家不要太過悲傷，都是嬴政不好，未能解決匈奴禍患！」

「陛下這樣說，草民等怎麼擔待得起！」老村長說著，淚如湧泉般自老眼中滾滾而出：「老朽帶路，請至草舍稍休奉茶。」

老人帶著始皇一行人到達一處磚瓦大宅前。他沿途注意到，這個村子應該算得上是富庶，雖然一般是依土洞築屋，但也有不少的高牆深宅，帶著魏地古樸雄偉的格局。

老人一家早已打開中門跪迎，始皇急忙一一扶起，他向老村長說：

「朕是到邊境巡狩，並非朝殿大典，免去這許多繁文縟節的好。」

「陛下，老朽雖然身居邊荒，但仍知禮不可廢的道理。」老村長執意不肯。到達正廳，始皇居中南面坐下，老人又率全家人及村中父老跪拜行禮。眾人坐定後，始皇開始說道：

「眼見匈奴逞凶，塗炭我大秦子民，朕內心實在愧疚，現已交代郡守好好擬定對策，同時回朝以後會派遣大軍經略河南，一勞永逸的解決這個問題。」

眾父老又在席位上俯首謝恩。

「這次匈奴攻打貴莊，不知造成多少損失？」始皇關心的問。

「死傷近兩百人，房屋焚毀數十間，胡人已由村後攻入村內，好在陛下王師及時趕到，否則後果更是難以設想，但就是這樣……」一位父老話說到此，滿臉羞憤再也說不下去。

始皇驚異正想追問，忽聽大門外有敲鑼的聲音，隨著鑼聲有人大聲傳話：

「各位大姑娘，小媳婦，大娘小嬸請注意，遇到胡人這碼子事，千萬別想不開做傻事，這些年來又不是妳一個人碰到，誰家沒有？誰也不敢笑誰！」

接著鑼聲和傳話聲又響了幾遍，隨著漸行漸遠，似乎是到村頭去了。

「這是怎麼回事？」始皇不解的問。

眾父老沒有答話，卻全都以袖頻頻擦拭眼淚。

任囂在一旁代奏說：

「胡人每攻進一個寨子，燒殺姦淫，無惡不作，在他們心目中，這是他們拚命的補償，作戰的酬勞，所以上級雖不鼓勵也不禁止，任他們為所欲為，剛才傳話是怕那些受辱婦女尋短見。」

始皇怒氣填胸，緊緊咬住牙齒，深怕自己狂怒發作失態，他只從牙縫裡透出恨恨的聲音說：

「各位父老，胡人的事，朕一定會儘快辦理！」

正在談話間，忽然前院裡又傳來小女孩啼哭的聲音。

始皇正要發問，村長告罪暫離，一會回來，又是滿臉愁雲。他主動向始皇啓奏：

「外面是一個小女孩，她母親遭辱，父親又作戰死亡，母親一時想不開，跳井自盡了！」

「將女孩帶來朕看看。」始皇兩眼發酸，有點忍不住眼淚。

近侍帶上女孩，她非常乖巧，自行上前跪伏行禮，也知道口呼：

「萬歲！」

女孩奉命抬頭仰臉，始皇一見，不禁大為震驚，天下哪有這樣相像的人？這個女孩無論長相神情，完全神似死去的皇后，尤其那雙明媚的大眼睛。

「幾歲了？」始皇和藹的問。

「十歲。」女孩回答。

還好是十歲，要是再小點，他真的會懷疑是皇后轉世。

「她家裡還有什麼人？」始皇轉向老村長問。

「她父親世代單傳，一死之後，父族方面就沒有近支親人，母親是從很遠的地方嫁過來，親人還有待查詢！」老村長臉上也充滿憐惜。

「假若朕將她帶走，收爲義女撫養，有人有異議否？」始皇認眞的問。

眾父老紛紛避席頓首，異口同聲說：

「這是她的福氣和造化，哪還有人會異議！」

始皇要近侍拿個錦墊來放在身邊，他拍拍錦墊，慈祥的對女孩也是對大家宣佈：

「朕不管妳以前叫什麼名字，今後妳要姓嬴，名字叫念玉，封號幼公主。來，坐到朕旁邊！」

念玉叩頭謝恩，起來坐在始皇近旁，好一陣子，始皇目不轉睛的注視著她，太多的憐憫夾雜著對皇后的懷念。

「念玉這個名字眞適合她！」始皇不斷在心裡想。

5

傍晚，九原城兩萬騎兵和兩百乘戰車趕到。

始皇決定留在魏村過夜。

這是魏村建立三百年來的空前大事！幾百年來，從未見過縣長以上的大官來過，何況是天下之主的皇帝！而且，這可能也不會絕後，因爲村裡出了一位幼公主，換句話說，全村的人和皇室遠遠近近都沾了點親戚關係。

這項喜氣很快沖淡了劫後悼亡的哀痛氣氛，就連剛死了親人的家屬臉上也見到了笑容。

始皇挨家挨戶的拜訪村民，口口聲聲稱他們爲親戚，更使得這些村中父老笑得合不上嘴。

始皇由此發現一個定理，離開權力中心——也就是他自己——越遠的人，越存心忠厚，越純良知恩。

他只施了這點小惠，卻激起了這樣大的反應，就像在水上丟一塊小石子，激起的漣漪卻擴散得這麼大，而且久久不息。

晚上，村長用全羊餐招待始皇和從臣，宰牛殺羊慰勞軍隊，始皇以加倍的金子報償，並交代任囂協助魏村復建。

始皇發現，這裡的人長久和胡人交往糾纏，飲食方面也沾了點胡風，像全羊餐是將整隻羊烤好端上來，每個人用佩刀自切自用，這就是典型的胡人吃法。

他邊吃邊在想，以往中國忙於內戰，對異族侵略總是容忍敷衍，甚至還有些君王引胡人以自重來威脅鄰國，所以讓胡人坐大，邊境人民受盡蹂躪。

現在天下統一，他嬴政絕不再忽視這件事，他要將胡人趕回他們應該在的地方——漠北水草之地！

在席間，老村長得到始皇的同意，宣佈將魏莊改名為公主寨，又掀起一陣歡欣的高潮，眾人紛紛向始皇敬酒，他也就開懷暢飲。

席散已是半夜，始皇去到幼公主的臥室，近侍本來要喊醒公主接駕，始皇連忙制止。

女孩睡得正熟，白天頭上梳的兩條辮子已打散，像黑絲緞一樣灑在雪白的枕巾上，臉卻紅得很像蘋果，三種顏色調和成一種自然美，沒有一點人工裝飾。

始皇站立在牀邊，心中充滿了父愛的柔情。

他生有兒子二十多人，女兒十幾人，但想不起曾經有過這種連自己也感到驚異的溫柔。不說這樣站在床前欣賞，連抱抱他們，摸摸他們頭的機會都很少，更別提會激發眼前這股情愫了。

他最多在他們生下來的時候，他義務性的探視他們的母親——那些爲了幫他生子女剛從死亡邊緣走過一趟的女人——然後順便看看這些皺成一團、活像沒毛老鼠的小東西，順口說一、兩句誇獎的話。

然後是滿月、週歲，公子照例有盛大的慶典，敷衍後宮和群臣的道賀，全都使他不勝其煩，別說是懷有做父親的喜悅和驕傲了。

公主更連這些都免了。

也許，在皇后生胡亥的時候，他曾經有過做父親的欣喜和希望，但那只是所有做父親的一種夢想——這個兒子會繼承他的事業，在他已建立的基礎上更進一步發揚光大。

可是，胡亥越長越大，他的這股希望和夢想卻越來越縮小，甚至是將歸幻滅。

他常常在想，難道說上天注定要帝王寂寞孤獨？一般人用盡力量所追求的權勢、財富和女色，一切在他們眼中所謂的幸運和福氣，在帝王看來都是理所當然的東西，有時甚至感到是一種累贅。

譬如說，他就從來沒品嘗到書上所形容的「管鮑之交」那種友情。連父母對他都是勾心鬥角，搞政治鬥爭。這些兒子長大以後，他會怎樣對他們，他們要怎樣對他，這是誰也預料不到的事，父子為了權力反目成仇，父殺子，子弑父，可說是史不絕書。

至少，到現在為止，他對這些公子公主，沒有產生過他對眼前這個女孩所有的情愫。他不清楚，這種憐惜，亟欲幫她做點什麼，滿心希望她愉快幸福的柔情，卻沒有一絲要求任何回報的感覺，是否就是一般人所稱的父愛？

由他對這個女孩的愛憐，他又想到天下同時失去父母的孤兒不知有多少！其中有很多是他發動的統一戰爭所造成。

但他對這十年的統一戰爭既不愧疚，也沒有什麼難過的，幾百年來的諸侯內戰和胡人入侵所造成的人民傷亡、家庭離散破碎，豈是這短短十年戰爭所能比擬？

他明白，要想一勞永逸，北方胡人和南方蠻夷的問題，都得徹底大規模的解決。但那些大臣和儒生博士又會說他好大喜功而竭力反對，他們認為中原統一，就可以安享太平日子，實在應該要他們到邊境上來看看。

一葉知秋，這次巡狩北境應該是看夠了，他要儘早回咸陽去，發動一場遠較統一戰爭更大的行動！

女孩的睡姿眞可愛，她小巧的鼻子有點上掀，呼氣時微微歙動，羽扇似的長睫毛輕蓋著下眼瞼，眼睛時而在緊閉的眼皮下轉動。

她在做夢，夢到些什麼？這個年齡的小女孩應該美夢特別多，但她也許是例外，也許正在再度經歷母受辱、父戰死的痛苦折磨！

她的睡姿多像死去的皇后！假若她眞在渤海成仙，她應該看得見這個如此像她的小女孩。

他愛憐的將她露在被外的手放進去，輕輕吻了她蘋果似的臉頰。

他輕輕退出室外，作手勢要近侍禁聲，他用極細微的聲音告訴他：

「幼公主醒來，不要告訴她朕來過！」

6

在咸陽宮議事殿中，始皇召開了一次擴大御前會議，除了三公九卿和宗室大臣外，七十博士的兩位首領——舊周派姬周和原魯派魯青也參加了。

蒙恬別出心裁的在殿中央設置了一個沙盤模型，以藍色表示海水，綠色顯示德水及其支流，堆沙成形，上覆青苔，表現出山脈起伏，名城重鎭則以白玉標明。模型範圍包括原燕、趙、魏及包括咸陽在內的秦地北部。

模型按照地圖製成，只是將平面變成立體，各山川大邑方位和距離都相當精確。另外，由咸陽成扇形輻射出去的直道也用黃絲帶標出，而地形上有條紅色絲帶和紅色圓石陳列，則是眾臣所不知道的標誌。

始皇首先提示說：

「日前的早朝中，朕已宣佈了經略北境、防止匈奴入侵的構想，並要丞相集合各有關大臣商議，今天先由蒙將軍報告他的經略計劃，然後請各位卿家發表你們的看法。」

蒙恬奉命起立，以一根竹杖指著沙盤模型說出他的計劃——

用三十萬以騎兵爲主的兵力掃蕩河南地區的胡人，以消滅胡人的有生力量爲主，不拘一城一地的得失。再配合運用民間的全民皆兵和堅壁清野策略，拘束胡人的流竄，胡人經過重大傷亡及無處可去的打擊後，一定會逃回河北山區恢復休養，以圖再舉。將胡人趕出河南，這是第一步治標。

至於第二步治本的計劃，則是將胡人驅逐出河南之地以後，以河爲塹，在河北面將原有燕趙所築長城連接起來，由燕地遼東渤海邊一直到秦地臨洮，築成一道長城，以阻擋胡人騎兵。並將前置部隊派至陽山，設立烽火台及巡騎，偵察胡人行動，小股加以阻擋殲滅，大股則向後傳達警訊，並設法阻敵，使河南守備部隊有餘裕時間準備應敵。

還有第三步治根的辦法，乃是要有計劃的移民實邊。匈奴族在河南地區所以如此猖獗，主要原因是河南人口太少，尤其是德水沿岸，數百里見到不到人煙，匈奴騎兵來去，當然像入無人之境。

蒙恬最後以竹杖指著德水北面的紅絲帶說：

「這就是構想中要建築的長城，而那些紅色圓石則是預計沿河岸設立的城鎮，初步估計大約需要四十四座，這些城鎮既是邊境上第一道防線，也是開發河南肥沃土地及畜牧的初步據點。」

「將來胡人願意與我們和好時，這些城鎮也可以作爲通商口岸，」始皇接著補充一句，然後又神色沉重的說：「這次到九原郡聽韓廣先生說，才知道匈奴——亦即所有胡人，不管是東胡，林胡和匈奴——原都是夏桀的子孫，和中原人本是同根弟兄，兄弟相殘這麼多年，眞是悲哀！」

始皇此話一出，眾大臣在席位上交頭接耳，議論紛紛，臉上呈現的驚異神情，顯示出他們也是前所未聞。尤其是兩位博士首領，更是一臉不服氣的樣子。

「眾卿家有什麼意見，請順序提出。」始皇繼續宣佈。

群臣沉默一下，首先是國尉尉繚提出反對，他說了一大堆理由，結語是：

「大秦在南方五嶺地區駐防五十萬部隊，加上駐在原諸侯各國防止異動的部隊五十萬，總共在外暴師日久的部隊高達一百萬之眾。這次動員三十萬人，後方支援人力最少也得動員二十萬，秦地青壯恐怕會出動殆盡，臣沒有這個能力辦理此事。」

始皇一開始猶豫了一下，「再議」兩個字就要說出口時，忽然想起魏莊的慘狀和他自己對父老許下的承諾，他毅然的說：

「這件事不能拖。各位卿家到如今還存有一個錯誤觀念，凡是有征伐就用到關中人力，其實天下現本為一，有時應就近動用各郡人力物力，天下事天下共同負擔，並不會太沉重。」

接著丞相馮劫啓奏：

「天下久戰之餘，最要緊的是與民休息，經略河南的事應該稍待時日。」

「丞相，假若你是住在北境，你就不會說出這種話來。」始皇不以為然的說。

然後有關群臣紛紛發言，全都反對這項計劃，大部份人的理由是河南地廣人稀，匈奴來來去並不作長久停留，也沒有領土野心，只是頑癬之疾，犯不著動用這麼多財力人力去經營。

始皇聽得一肚子的火，他發現群臣全部是小格局思想，脫離不了往年自秦看天下的立場，再看看這些人的確也太老。他想起了皇后的話，這麼多年他只顧培養將才，治國之才已斷了層。

他忍不住向尉繚和馮劫說：

「太尉尉繚和丞相馮劫都太年老了，明日起你們退休養老，朕再找能與朕從事大計的人！」

此言一出，群臣震驚，已發言反對的人不敢再說話，繼起說話的人全都見風轉舵表示贊成。

始皇搖搖頭，笑著問李斯說：

「李丞相，你的看法如何？」

李斯連忙啓奏：

「陛下聖明，天下之大，人口之眾，不怕人力不夠用，今後出兵不能只指望秦地，而是應該楚地有事用趙齊之兵，趙齊有事用魏楚之兵。這次經略河南可動用天下之兵，天下之財，人力財力不患不夠！」

始皇哈哈大笑說：

「到底是李丞相明事理！」

他這句話有雙重意思，一方面誇獎他的想法和自己相同，另方面也是譏刺他見風轉舵得快，爲什麼剛才不發言支持。

始皇隨即又問御史大夫馮去疾：

「御史大夫，你認爲怎樣？」

「臣的看法是，如今天下統一，過去所忽視的邊患問題必須一勞永逸的解決，何況河南之地土地肥沃，諺語說：『河水百害，唯利一套。』河套就是指河南地方，經營得法，不只是解決了胡患，而且無形中增加了廣大疆土。」馮去疾俯身說。

始皇正要發話，只見丞相馮劫、太尉尉繚、博士首領魯青和姬周，紛紛避席頓首，尤其是尉繚性急，叩頭流血直諫：

「臣等對陛下的決定期期以爲不可，天下久戰之餘，需要休養，內地靑壯人力重整家園都嫌不夠，哪還有餘力移民實邊？希望陛下明察，不要爲了胡人枝葉問題而動搖國本，千餘年來胡患無日沒有，但都未傷害到中原，等到內地生養復元，再解決這個問題不遲。」

始皇強忍住怒氣問蒙毅：

「廷尉，你呢？」

「太尉日前還和臣商議過，總感原六國俘虜和反抗份子人數眾多，秦法初在天下通行，各郡觸法者眾，監獄都已人滿爲患，臣的看法，不如要這些人移民實邊，構築長城。」

「蒙廷尉意見與朕暗合，朕只是未及說出罷了！」

始皇帶笑宣佈——

蒙恬計劃可行，與新太尉商議動員事宜。

左丞相馮劫與太尉尉繚准予退休。

命李斯爲左丞相，馮去疾爲右丞相兼行太尉事。

7

始皇帝三十三年。

去年蒙恬領兵三十萬經略河南，幾個月時間就將匈奴趕出河南境外。

始皇又命蒙恬渡河攻取高闕及北假，將胡人趕到陽山以北，在這一帶建立前哨陣地，監視敵蹤屏障後方。並自榆中沿著河水一直到陰山，劃爲四十四個縣，縣城就建在河邊，作爲堵塞邊境之用。

在咸陽，馮去疾和蒙恬配合得很好，他們下令全國司法體系，有罪者盡量不判監禁而判死刑，然後減罰一等改成發落邊境，終身不得歸。受罰者因免死，全都樂意前往邊疆開墾，國家也因此增加了移民實邊的來源，內地監獄人滿爲患的狀況也得到疏解，可謂一舉三得。

事情進行得如期順利，再加上渤海尋仙的盧生，人雖然未回咸陽，卻派人帶回一張讖圖，據他說是海中撈得，絹布上畫得亂七八糟，根本看不出畫的是什麼東西，可是對著陽光看，卻能清晰看出一些字樣——

亡秦者胡也。

如此一來，始皇對自己討伐匈奴有了更安心的藉口。

盧生使者帶來口信，盧生繼續往渤海中尋覓皇后神仙洞府。

另方面，自九原帶回來的幼公主念玉，經過皇室宮廷禮儀訓練，換上公主服飾，更是清麗脫俗，像極了死去的皇后。加上來自民間，沒有其他公主的驕橫和架子，待下寬厚體貼，很快就得到宮中下人的歡心和擁戴。

始皇覺得自己沒看錯人，當然特別欣慰。

尤其是胡亥，對人橫蠻不講理，又頑皮不肯讀書，十七歲的人了，雖該是早完成了世子教育，但整天只知道嬉戲，聲色犬馬，博奕鬥雞，無所不爲，典型的敗家子弟。

有眞才實學和骨氣的老師，教他不到一個月就紛紛求去，肯教的都是一些想藉此獲得異日富貴權勢的軟骨蟲，因爲他們看得出始皇對胡亥特別寵愛，而且他是唯一的嫡出公子，將來帝位非他莫屬。

雖然目前教胡亥常要受他的氣，還得幫他在始皇面前代爲掩飾謊言，但一旦胡亥登基，太子師傅順理成章的飛黃騰達，前途眞是不可限量。

而趙高名義上是他的刑名獄政老師，實際上卻等於是他的總師傅。舉凡聘請師傅人選，乃至考查課業，始皇全交他執行。

始皇忙於軍國大事，兒子女兒又多，雖然是對這個最小兒子格外偏心，但能分配到他身上的時間的確太少。偶爾發現到他貪玩不好學，趙高和其他師傅會幫著打圓場，他最多交代趙高，以後要嚴加督促，趙高也是恭恭敬敬，唯唯諾諾敷衍了事。

趙高在內心對嬴家恨之入骨，看到胡亥如此冥頑不化，高興還來不及，怎麼會嚴加督促，再說胡亥越昏庸對他趙高越有利，因爲胡亥昏庸，將來得就帝位，他就可將他玩弄在手掌之上。

始皇是聰明絕頂的人，不管他怎麼忙，趙高等人怎麼爲胡亥掩飾，他總發覺得到一點端倪。於是在正式立太子上，他就搖擺不定，委決不下，在長子扶蘇和幼子胡亥兩者之間，不知如何選擇。

長子扶蘇好學深思，聰明睿智，對上嚴謹忠順，待下寬嚴得宜，能得大臣及後宮所有人的敬愛，可說是最理想的太子人選。而且生母蘇妃位居中宮，雖然沒有正名，實際已是皇后，子因母貴，立扶蘇，任何人都沒有話說。

但基於對死去皇后的愛戀，而且胡亥是他最小的兒子，也是皇后留下的唯一兒子，他對胡亥有一份沒有理由的憐愛和偏心，不立胡亥，他實在不甘心。

但要立胡亥，想起皇后臨死的哀求以及胡亥的頑劣，他又不敢這樣做，他怕好不容易創下的基業會斷送在胡亥手上。

他知道創業不易，守成更難，以天下目前表面平定，而實際各地暗中浪濤洶湧的情勢，除了他嬴政，任何人都難以控制。也許再等幾年，他將各地的反對勢力連根拔掉，南北外患徹底肅清，那時候誰當太子，誰繼承帝位都沒太大的關係，到時再立胡亥，讓他當個平庸的太平天子。

情況假若一直不能好轉，那只有立扶蘇，讓他繼續努力。

更何況徐市在爲他求「春春之泉」，盧生也在幫他尋找修仙祕笈，一旦成仙或是長生不老，那立太子的事就根本不是問題了。

不過，自從念玉來到宮中後，始皇又燃起另一股希望。胡亥很喜歡念玉，在她的影響之下，胡亥的浪蕩行爲收斂很多，也肯跟著她讀書，這樣下去，胡亥可能會脫胎換骨，變成另一個人。

他現在時常懷疑，將念玉收爲幼公主，這個決定是否錯了？

8

就在蒙恬完成掃蕩河南匈奴任務，正監督戍謫人犯修築長城，始皇稍微喘了口氣，心情稍微放鬆時，南方又傳來警訊。

原來，當年王翦滅楚後，挾著戰勝餘威，收服越南等地設會稽郡後，就班師回朝，而由裨將屠睢率領以秦軍爲骨幹，加上楚國降軍和地方部隊的三十萬軍隊繼續南下，順利的征服了東甌和閩越，將兩地合設爲閩中郡。但進行到五嶺（大庾、始安、臨賀、揭楊、桂陽）地方，因糧秣運輸困難，屢進屢退，始終不能擊敗南越及西甌部隊，對峙達三年之久。

後來，派到該地的郡監御史史祿，開掘「靈渠」，分湘江爲南北兩渠，引來珠江的水，漕運一通，軍事行動也就便利得多，終於擊敗越人，盡收其地，而越人則逃入深山叢林繼續抵抗。

但在前不久，越人發動夜襲，在秦軍疏於防備之下，征南將軍屠睢遭到擊殺，統帥一死，軍心渙散，越人乘機反攻，秦軍又退至五嶺之線，所派地方官吏全遭殺害。

始皇接到警訊的當天晚上，他又在南書房裡轉來轉去，謀求對策。有了上次的經驗，他決定不再召開廷議討論，免得聽到一片反對聲，看到有人叩頭流血，影響到他的決心。

這些貪圖舒適、企圖心不旺盛的傢伙，一定又會阻諫他：百越乃蠻荒之地，收歸版圖也只是累贅，犯不著動員這麼多人力物力。自屠睢征百越以來，前後增兵數次，暴師日久的兵力高達五十萬，開掘「靈渠」的人力物力還未計算在內。

他轉到南窗邊，將南窗打開，看到的是一鉤新月遠掛高空，他又不禁懷念起皇后和蒙武夫婦。假若蒙武在，他會爲他獻策，即使是不能完全中意，也要比現在不是聽到反對就是虛僞的逢迎好多了。

至於皇后雖說不願過問軍國大事，但在他像今天這樣委決不下時，她往往一言就可解疑。齊虹更不必說了，她狡黠聰慧，聽到一個問題就能想出十個答案，總有一、兩個是合他意的。

越地本來貧瘠，滿佈窮山惡水，有的地方甚至全是樹木花草都不長的荒石山，可說沒有什麼經濟價值。

而且，百越民族文化水準低落，大都過著半農半漁獵的生活。同時種族甚多，雖然各個部落也有君長之類的統治者，但不能團結，不像東胡、林胡和匈奴那樣能形成強大的國家組織，除了偶爾有零星百越盜匪越界搶劫秦人外，多少年來都沒有什麼威脅。

這種條件的百越是否值得勞師動眾，勞民傷財去征服呢？

可是，這次他們偷襲秦軍，殺了統帥，又殘殺中央派去的地方官吏，要是不討伐，大秦的威信掃地，邊疆民族會群起效法，以後的動亂就多了。

也許當時就不該征伐南越，只是因爲東甌和閩越得來不容易，而未想到南越和西甌如此棘手難纏，才弄得後來騎虎難下，增加兵力，開掘「靈渠」，殺雞用牛刀，得不償失。

但現在呢？征伐與不征伐？好讓他爲難！

另外，領軍將軍人選很難找，這個人需要懂得當地風俗民情，才能一邊征伐一邊安撫，同時他還需要刻苦耐勞，受得了蠻荒地方的瘴癘之苦，才能有耐性應付越人的游擊戰。

王翦王賁父子已死，蒙恬鎮守北境監修長城，不能調動，他一個個仔細研討分析其他的將領，就是找不到一個十全十美、能文能武、能用兵也能安撫蠻族的人。

想得心煩，他又在書房轉動起來，一面還用手敲著腦袋。

突然聽到幼公主在外面和近侍說話，她想進來向他請晚安，但近侍小聲的警告她：

「幼公主，不是奴婢不爲公主通報，主上正在爲軍國大事費神，只要看到他像關在籠子裡的老虎轉來轉去，最好是別去煩擾他，好則惹他大發雷霆，弄不好還會打人殺人。」

她大概是給他嚇住，沒說什麼就離開了。

可是她的來卻讓他靈光一閃，由她想到北境，再由北境聯想到任囂，不錯，就是他！他一切條件都符合，爲什麼剛才他未想到他？他自己是否思路也太狹窄，選拔人才，老是在身邊幾個熟悉的人中間打轉？

任囂的確是最佳人才。

他是楚越邊境上人，應該熟知百越民族習性。

他隨王翦滅楚，遠至湘水和蒼梧山之間，對那一帶的地形應該很熟。

他擔任九原郡守，這次經略河南，收效如此之快，他執行堅壁淸野和全民皆兵的策略奇佳，功勞應有他一半，他當然能夠治民。

他在魏莊以四千兵力攻擊數萬匈奴的從容姿態，誰敢說他不是個智勇雙全的將才？

不錯，就是他！

他興奮得等不及找侍中撰寫詔命，親自用硃筆寫了，喊來近侍，連夜送給左丞相李斯，要他召回九原郡守任囂，職務另選人接替。

9

在咸陽宮南書房，任囂由蒙毅陪同謁見了始皇，他預先就熟讀好一切有關百越的資料。始皇首先說了一些南越近況，接著誠懇的說：

「朕經過再三考慮，任卿才是爲朕分憂的最佳人選。」

但令他驚奇的是不見任囂的高興，反而是憂形於色，因此他又加了一句：

「任卿莫非有什麼困難？」

「人臣爲主分憂，雖萬死不能辭，何況這次任務也並非不能達成的任務。」任囂恭敬的回答。

「但朕看你似乎有難言之隱。」

「臣是在想蒙恬將軍和王翦將軍的事。」任囂說。

「蒙恬和王翦與這件事有什麼關連？」始皇臉上出現些許不悅。

「蒙恬這次掃蕩匈奴，不到一年的時間就克奏膚功，王翦滅楚也不過兩年，但南越西甌卻前後十年、出動兵力高達五十萬還是不能根本解決。」

「是啊，」始皇接口說：「朕也為此憂心不已，想到要放棄，但再想到大秦聲威若因此喪失，今後邊疆蠻族動亂必多，所以委決不下。任卿有什麼看法，儘管說來聽聽。」

「百越土地貧瘠，沒有什麼出產，經濟價值表面上看來不高，但若從深遠一層來看，大秦要接近南方海洋，打通南北水上交通，百越地區非經營不可，」任囂以他雄渾的嗓音大聲說：「何況，由南海向西，還有不少的番邦異國，那裏四季如春，物產豐富，可為大秦帶來不少的貨殖機會。」

「任卿的話都是朕前所未聞的，朕果然沒有看錯人，加緊經營百越地區，卿為朕一言決疑！還有什麼意見，儘管說！」始皇顯得格外興奮。

「臣所以提到蒙恬和王翦奏功如此之快，百越如此難征服，乃是陛下左右未分清事情的異同，卻堅持用同樣的手段，當然會產生不同的結果。」

「哦？任卿見解的確與眾不同，」始皇讚嘆：「你是否將異同分析一下？」

「滅楚只是改朝換代，匈奴本來就是入侵我們國家，用武力就可解決，但經營百越是我們侵入他們的國家，只靠武力，結果必得其反。」任囂眼睛本來就大，現在他睜大眼睛，注視著始皇侃侃而論，更是神采奕奕，精光四射。

「任卿此去，有什麼特別做法？」始皇有點懷疑的問。

「臣有一個八字訣的政策理念，不知是否能生效，還望陛下和蒙廷尉指正。」

「蒙毅，你也要用心聽，看看有什麼意見提出來。」

蒙毅雖已官居廷尉，在始皇眼中他仍然是後生晚輩。

「哪八個字？」始皇轉向任囂問。

「懷柔，優遇，教養，同化。」

「何謂懷柔？」始皇問。

「儘可能不用武力，另外整頓軍紀，將不得縱軍擾民，選賢任能，地方官員欺壓土著，貪污敲詐者重刑，內地移民不得歧視當地居民，多爲該地區作各項民生所需建設，初期不要想該地區有多少回報利益。」

「如何優遇？」

「儘量起用培植當地人才爲官吏，剷除原有惡勢力，當地有特殊人才可推薦到中央或別郡爲官，而且初期是降格以求，破除當地人自認是受壓迫者的反抗心理。」

「教養呢？」

「派專吏爲師，教導各種技藝及中原文化，但也尊重土著原有的技藝和文化，有特別好的還可以介紹到中原來，不讓當地人有中原文化驅逐當地文化和風俗習慣的感覺，而是互相交流。」

「任卿的意思，是要將百越人完全變爲中原人？」始皇恍然大悟。

「要想徹底化百越爲大秦所有，同化是最後也最有效的辦法，而最好的同化手段就是通婚！」任囂特別加重後面兩個字。

「通婚？」始皇哈哈大笑：「中原人願娶百越女子，百越女子又願嫁秦家郎？」

「初期可能很難，但經過長期教化雜處，經濟條件及風俗習慣相溶合後，男女相悅和通婚是很自然的事，」任囂正色的說：「而且我們還可以用政策來促進配合！」

「什麼政策？」始皇好奇的問。

「譬如說，大量選拔當地青年到中央或別郡任官吏，或是提高駐軍待遇，讓當地年輕人羨慕從軍，當地青壯男性一少，適婚女性人數相對必然增加，內地去的，不管是流放或有計劃的移民實邊，都以年輕男性居多，時間一久，自然而然的就會通婚起來。」

「妙啊！妙啊！」始皇擊案大笑：「怎麼以前就沒有人想到？」

「這樣一來，若干年後，百越就沒有所謂華夏夷狄之分，大秦的眞正疆域也就直接涵蓋南海了。」任囂語重心長的說。

「任卿此去，有什麼向朕要求的？」始皇又問。

「王翦將軍伐楚，多要田園美宅以回陛下信任，臣此次去，路途遙遠，交通阻塞，很多地方需要便宜行事，還望陛下恩准。」

「這是應該的，聽任卿今晚這席話，就知道你是個肯做事的人，朕授你全權行事。既然要懷柔，就不能再名爲什麼征討大將軍之類的，朕任命你爲南海尉，平撫南海以後設郡治理，而南海尉則掌理該地區的一切軍政事宜。」

「謝陛下。」任囂避席頓首謝恩。

始皇又再交代蒙恬，原則上南海地區要大量移民，細節要他和任囂商議辦理。最後他又問任囂說：

「這次任卿要帶多少增援兵力？」

「只帶臣的家卒護衛和陛下的符節就夠了。」任囂微笑說。

「哦？」始皇不得不對他另眼看待。

任囂按照他的八字訣政策，只用兩年不到的時間就平定了南越和西甌，劃爲南海、桂林和象郡等三個郡，直到秦二世時，任囂病死前，百越人不復反叛。

第22章

求爲神仙

1

北方匈奴趕出了河南，南海任囂剿撫相互運用，將他的八字訣政策執行得有聲有色。在國事安定，內心較爲淸閑時，始皇又想起了他的求仙行動。

徐市奉派出海，幾年來都沒有消息，沒有要求加派人手，連糧食和淡水都沒回港口加添過，看樣子他是找到了仙島，難道他就此樂而忘歸，忘掉爲他求取「靑春之泉」？

還是他帶了六千童男童女歸化了仙島，根本就不想回來？甚至是利用船上武力和財物，找個海島自立爲王起來？不然不應該幾年沒有消息傳回！

他當時也許是被徐市的仙風道骨和能言善道所迷惑，如今一有懷疑，他是越想越不對，尋長生不老之藥要帶那麼多船和童男童女幹什麼？現在回想起來，眞是完全沒有道理，他那時怎麼會相信他的？

他眞後悔當時沒有將徐市家人遷移到咸陽來扣爲人質，唉，他對將相一直都採取事先防備，唯獨對修道的人太過信任！現在他的家人也許早已遷移躲避，或者爲徐市所接走，他如今對徐市可說是鞭長莫及！

想到徐市家人，始皇立即派出使者到瑯琊追查他家人的下落，找到時強制遷移到咸陽來。

另外派出去的盧生，他倒是常有消息傳回，而且是常出現在東南海邊各港口，也曾幾次派人來要錢要裝備。不過有謠言說，盧生跑遍各沿海港口做生意，以物易物，根本就未進入遠海。

當然疑人不用，用人不疑，尋仙本來就是虛無飄渺、可遇不可求的事。皇后不肯見盧生，也許是在考驗他對她的信心和愛，難能可貴，他嬴政對玉姊的愛心和信心都是堅貞不移的，何況他還年輕，他還有經歷考驗的時間。

時候或有早晚，成仙得道則一，他不會相信這些謠言。

還有侯公，七十多歲的人了，風塵僕僕的來回於咸陽和華山之間，為了求取奇花異草為他煉丹，常要登高爬山去到雲深不知處。

拿回來花草所煉成的丹藥，服下以後，他倒覺得是很見效的，身輕體健，精神煥發，尤其是在御女時，更有前所未有的特殊效果。

臉色紅潤，膚色如玉，自稱已有六十多歲而看上去四十不到的石生，則教他房中術，使用的教材是他世代祕藏的黃帝《素女經》。石生說，黃帝所以能得道，全靠照著經書上所載祕訣修煉而成，最後夜御百女，吸取這些處子的陰精，所以能白日乘龍昇天，要訣是要二十歲以下的女人，超過二十五歲，即使是處子也不是上選。

後宮的處子說起來比婦人還要多，而且從小選進宮，都是從來未和男人接觸過的，這應該都是上上選。但始皇照著書上練了幾個月後，不說不能夜御百女，就是想征服一個女人，都得靠侯公給他的藥。

幾個月下來，他不但形骨消瘦，眼圈發黑，上殿前石階都會兩腿發軟，兩眼冒金星。他不敢再練，石生也不敢再要他練，只是說修道成仙有無數個法門，黃帝之法恐怕不適合皇帝。

這時候韓人韓終乘機說動始皇煉丹，他呈上他爲始皇遠至楚地衡山找來的藥材，配成藥丸要始皇服用，並教始皇吐納打坐。他說如此外服藥、內煉丹，天長日久，內丹煉成即可白日昇仙。可惜的是始皇政務繁忙，不能長時間打坐不間斷，並且這種修道最忌女色，初一十五必須齋戒。

幾個月下來，韓終的修道法見了功效，始皇臉色不再發黃，黑眼圈全部消褪，上殿階時腿也不會發抖了。

始皇因此對韓終特別信任，同時自信找對了修仙法門。可是除了這些以外，再也見不到其他效果，他免不了又要問韓終：

「朕修煉了這麼久，效果是少許有的，但不知道多久才能煉成內丹？」

「修道成仙全靠天賦和機緣，陛下在泰山親耳聽聞上帝宣示，陛下爲祂的驕子，天賦應是任何人所不及，再遇上臣，可說機緣也超過一般人，成丹應該是沒有問題的。」

「這樣煉法到底要多久才能成丹？」始皇不放鬆的追問。

「很難說，」韓終臉上也出現難色：「有人三年五載就煉成，也有人三十年五十年也煉不成的。」

「韓先生煉丹多少年了？」始皇問。

「臣十年前在衡山得逢異人。」

「這樣說先生已煉了十年，不知丹煉成了沒有？」

「要是丹煉成，臣早就飛仙了，也遇不著陛下。」韓終笑著說。

「先生蒙異人傳授，十年都煉不成丹，那朕要煉到何年何月？朕都是四十多望五十的人了，還有多少時日可煉？」始皇有點沮喪的說。

「這倒不必擔心，臣也是五十多歲才開始，現在不是越煉越年輕？」韓終陪笑著安慰的說。

始皇注視韓終很久，才覺得安慰的說：

「果然如此，朕倒是可以等的。」

一高興，始皇又酬謝他黃金五十兩。

徐市和盧生在海外幫他花大錢找長生不老之藥，而這幾個人輪流奉召和始皇談論修仙之道，也是時有賞賜。

當然，始皇對這幾個人已開始失去信心，找他們只不過是消閑性質，眞正的希望是放在徐市和盧生身上。

2

盧生方面有消息了，這次他不是託人帶信，而是親自在咸陽南書房覲見了始皇。

當他叩頭行禮，始皇親手扶他起來時，看到他滿佈風霜、爲海風吹得黝黑的臉，內心有點不忍，也有著感激，傳言眞是不可信，看他這副樣子，哪像經商致富、優遊在各港口的樣子！

盧生從懷巾取出一幅非絲非布的錦帕呈上，上面有幾行字跡，始皇接在手上一看，彷彿入眼很熟，再仔細一看，竟是皇后手筆，始皇大吃一驚的問：

「先生從何處得到此物？」

盧生不慌不忙，徐徐就座，然後又拱手行禮說：

「幸不辱命，這次遠至渤海之中，在遼東與遼西之間，得皇后夢中指引到一仙島，得謁皇后仙顏。」

「眞的？」始皇驚喜得差點從席位上跳起來。

「臣不敢欺騙陛下！」盧生正色的說。

「先生請不要見怪，朕一時高興過度，失言了。」始皇抱歉的說。

「臣不敢，」盧生在席位上俯身行禮說：「請陛下先看過錦帕，臣再詳細稟奏得見皇后仙顏的經過。」

「好，朕先看看。」始皇說著展開錦帕，原來上面寫的是一首四言詩——

人仙隔絕，
有如隔世，
一旦雙修，
世世夫妻。

詩中的意思非常明顯，乃是說目前雖然人間仙界不能相聚，但一旦始皇得道成仙，兩人在一起修煉，就能成爲永遠不死不離的夫妻。

始皇欣喜得有點想落淚，但他不想在盧生和近侍面前示弱，假裝咳嗽兩聲，將眼淚強行忍了回去，他簡短的說：

「先生請詳述這次經過！」

「回憶起當時情景，到現在餘悸猶在！」盧生臉上變得驚恐起來，似乎又回到當時的情景：「那天臣正按著皇后新近才指示的海上方位，帶著兩艘船航行在風平浪靜的渤海上，到了晚上突然遭到海上強風暴雨，雷電交加，先是兩艘船的桅桿被吹斷，接著幾十丈高的層層巨浪終於將兩艘船都打得四分五裂，就在臣掉下水喝了幾口水，人呈昏迷狀態時，忽然聽到耳邊有幼女清脆聲音，告訴臣不必害怕，皇后要見的只是我一個人，而其他的人乃是要應這個劫數，所以全要死在海裡。這時臣也就失去知覺，等到醒來，就在一座仙府裡見到皇后，奇怪的是臣身上的衣服一點水跡都沒有。」

接著他又描述了仙島、洞府和皇后的模樣和談吐，他的口才很好，再加上講的是皇后的事，始皇聽得如痴如醉。他說——

美麗的仙島位於茫茫大海之中，島的四周圍滿了白雲，一年到頭百花開放，四季如春。仙洞裡不分晝夜，照明用的全是鵝蛋大的夜明珠。連侍女穿戴的衣飾，其精巧美麗都是人間找不到的，更別說皇后本人了。皇后每天招待他吃的更是奇瓜異果、山珍海味，在上面住了三天，皇后才放他回來。

他有意無意提到皇后臉上的特徵，和只有始皇才知道的一些兩人之間的瑣事，更教始皇深信不疑，這塊似布非布、似絲非絲的錦帕就是中原所找不到的。

在他的話告一段落後，始皇迫不及待的問：

「先生沒有船是如何回來的？」

「和去時一樣，有一天睡覺醒來時已在即墨港口邊。島上三天，人間已是三個月，特地趕回稟奏陛下。」

「皇后沒要先生帶回修仙祕笈？」始皇提醒他說出這次行程的主要結果。

「沒有，不過她那天告訴臣，祕笈沒有良師指導，修煉不好會走火入魔，不如由她煉成長生不老之藥，直接交由陛下服用。」

「皇后對朕眞是恩深情重！」始皇嘆口氣，泫然欲淚。

「皇后臨行時還交代，欲修煉成仙，一定要清心寡欲，居處靜室，不能與一般俗人接觸。陛下原有仙骨仙氣，與俗人接觸多了以後，俗人的濁氣蓋過了陛下的仙氣，仙人（也就是眞人）就不敢和陛下接近，陛下修道成仙也就不容易了。」

「朕日夜忙於國事，總不能不與眾臣接觸！」始皇為難的說。

「臣倒有個好辦法。」盧生神祕的微笑。

「先生趕快說！」始皇一副迫不及待的神情。

「陛下挑選一批從人，女子最好，因為男濁女清，女子除了每個月的月事期間外，身上沒有濁氣。然後再從嚴挑選必要的男性隨員，以帶仙氣者為唯一入選條件。」

「先生見過朕不少近侍，誰最帶仙氣？」始皇好奇的問。

「郎中令趙高！」

「哦？」始皇哂笑。

「陛下不要看趙高外表不起眼，實際上他有貴骨也有仙骨。」盧生嚴肅的說。

「當然，與朕同年同月同日同時生，出生落地時也受到普天下的慶賀。」始皇不在意的笑著。

「啊！」盧生想說還好將他閹了，否則眞會妨主，但想到趙高和他是一條陣線上的人，始皇生性又多疑，還是不說的好。

「這樣好了，」始皇又說：「朕要趙高挑選一批男女隨員，然後由先生來看相望氣，不合格的再剔除掉。」

「濁氣不重的人，臣倒是可以爲他們祝禱去濁的。」盧生表現得非常自信。

「那有謝先生了，皇后還說了什麼？」始皇還是捨不得放棄皇后這個話題。

「她要陛下多移動住處，夜宿何處不讓人知，以防惡鬼的侵襲。」

「皇后眞是愛朕，她說什麼時候仙藥可以煉好？」

「明年此日。」盧生想了想說。

「那朕派人通知瑯琊郡守，再爲先生造樓船十艘，這段時間就陪朕修道吧！」

盧生連忙謝恩。

於是，始皇向眾臣宣佈，今後他不再稱朕，而自稱眞人，眞人者眞正的人也，與一般俗人凡人有所不同，乃是凡人與仙人之間過渡時期的人。

另外，他將咸陽宮與其他別宮以通道相接，他的車馬在其中行走，沒有人能知道，他夜宿何處，全由他親自臨時決定，令下以後，趙高和隨從人員才忙著準備。因此處處別宮隨時都處於備用狀態，宮室裝飾，妃姬美人，近侍女官，編制全和咸陽後宮一樣。

與群臣議事則全在咸陽宮朝殿。

同時他以盧生爲首，韓終、石生、侯公等三人爲副，另增加儒生方士三十六人，組成一個尋仙覓藥小組，有的專研究古籍，尋找可能藏有神仙及仙藥的地方；有的專事辨識百草，研究古方，挑選能煉製仙丹的出來試行煉製。

這批人日夜忙碌，提煉出來的草藥丸散，就用宮人作試驗，沒有不良副作用再給始皇服用。

尋仙找藥的行動可說是多管齊下。

始皇一直講求重賞重罰，這些人研究一項新發現或是新配方，始皇都有重金賞賜，但時間久了，始皇也有了抱怨，爲什麼配方不靈，神仙老是找不到？

這些儒生術士自有一套說法，尤其是盧生的推搪之詞，總能讓始皇信服。

3

在咸陽趙高的私宅裡。

盧生和趙高在密室內談話。

趙高雖爲閹人，但身居郎中令要職，又是始皇面前最親近的倖臣，文武百官都明白，要想獲得權勢，他的府第是通往始皇的最快捷徑。

因此有自薦爲門生，學習刑名的；有自願爲門客舍人，陪著趙高幫閑淸談的；也有些人將子女寄在趙高名下當乾兒乾女的。朝中大臣和宗室，也都以能與他結交爲榮，咸陽流傳著一首歌謠，就是形容他這樣炙手可熱的盛況：

閹雞莫啼，
閹豕莫嗥，
盛彼閹人，
百官陪笑！

趙高住的私宅更是建築宏偉，亭台樓榭，奇花異草，莫不爭妍鬥巧。他懷念故國，而舊六國之中，也以趙宮建築最美最舒適宜於居住，而始皇就將趙國宮殿最美的一座，耗費大批人力拆掉，再原封不動的在咸陽重建，名之爲「樂趙宮」。

趙高就照著「樂趙宮」再依造一座，除了規模較小，沒有皇宮的標誌和體制外，其他完全一樣。

他雖爲不男不女的閹人，府中照樣是歌姬舞伎，美女如雲，女婢僮僕成群。據府中僮僕傳言，他還常會召女侍寢，做些什麼外人就不知道了。

這間密室也是仿照始皇的南書房佈置，簡樸舒適，卻透露著方正和威嚴。

趙高當中高據書案而笑，盧生下坐作陪，看樣子他在趙高面前，所受的禮遇還不如始皇對待他的。

「盧先生，這次你怎麼弄得如此狼狽？」趙高猥瑣的臉上露出的不是同情，而是不滿。

「趙大人，別提了，這次能撿到一條命活著回來，已經是祖上有德了！」盧生嘆了一口長氣。

「詳細情形說來聽聽。」趙高帶點命令的口吻。

「本來在各港口生意做得好好的，南貨北運，北產南銷，賺了點利潤！」

「當然，船和船上所有開銷都是由朝廷支付，你做的是無本生意，怎麼會不賺錢？幾年下來，應該在齊地治了不少產業吧？」趙高打斷他的話插口說。

「別提了，這下全完了！」盧生搖頭接連嘆氣：「這次是在遼東買了不少金沙，準備到南方去賣，利潤會是好幾倍，可是在港口的人對我說，主上對我起了疑心，不知是什麼人在他面前告狀洩了我的底。本來我是要沿著海邊到即墨的，聽到這項警告後，我想就到遠海吧！以後主上派人問船上的人，也能有所交代，於是改由遼東直接航向臨淄，誰知道就碰上了海盜！」

「那處海面是不太乾淨，」趙高幸災樂禍的笑著說：「當初你為什麼不將皇后的神仙洞府說成在南海，這樣你可以名正言順的繞著四海走。」

「海盜劫走了兩艘樓船，將我和兩名船長綁在木板上丟下海，說是活不活命全憑我們的造化，想不到眞是屋漏偏遭連夜雨，在海盜船走了以後，突然又來了場暴風雨，頃刻之間，兩名船長就被巨浪不知打到哪裡去，我喝了幾口水也就昏了過去，醒來時發現已被一艘漁船救起。」

「聽你這樣說，你對主上所說的也不完全是假話，」趙高仰天哈哈大笑：「沒關係，再來過！主上是個聰明絕頂的人，但只要談到皇后和長生不死之藥，他就天眞得像三歲小孩，好哄極了。我眞羨慕你們，信口開河，荒誕不稽，說什麼都能拿到賞賜，我在他面前一言一語都得經過考慮，稍有不對就會獲罪！這一年你好好吹噓，明年此時，十艘樓船到手，我再說動主上多派點警衛，就不怕什麼海盜了！」

「多謝趙大人，要不是大人提攜，我也不能得到主上如此信任。」盧生一副感激涕零的樣子。

「其實，盧先生，我認爲你的攝魂術眞有一套，再加點西域來的安息香，上次就將主上引進似幻似眞的境界裡，哪天有空，是否可以教教我？」趙高眨眨小眼睛，做出自以爲神祕的神情。

「這種攝魂術乃是由西域傳來，在當地又稱為催眠術，可以讓受術的人完全聽從施術者的指揮，這是眞才實學，而且要經過一段苦練，習術者還必須有相當稟賦。」盧生認眞的回答。

「好了，好了，我看我是沒有這種稟賦，也沒有這個空閑。」

「趙大人要協助主上處理國家大事，哪有時間玩這種雕蟲小技！」盧生諂媚的笑著說。

「對了，」趙高想起什麼似的拍拍大腿說：「你為什麼不像徐市那樣要樓船百艘，童男童女再加護衛船工，人數高達萬餘，足夠在一個小島上稱王了。」

「我沒有那樣的才能和志氣，只想賺點錢置產，老年生活過得好點就足夠了。不過日前我在即墨時，好像聽人說，徐市已回到會稽。」

「他的船隊回來是件大事，我怎麼都不知道？」趙高緊張的從書案後面跳起來。

「他是一個人回來的，聽說是接家眷，」盧生搖搖頭：「那個人我並不認識，只是他跟人閑談時，我在一旁聽到而已。」

「糟了！事情糟了，主上正派了人去瑯琊找他——」趙高抓抓瘦削的臉腮，沉思起來。

「這關趙大人什麼事，要你幫他這樣緊張？」盧生大為不解的問。

「他和你一樣，都是我教他這樣做，而且是在主上跟前力保的！我得趕快想辦法！」趙高露出奴僕粗魯本色，大聲吼叫起來，聲音尖銳，像用鐵鏟刮鍋底。

但盧生又不敢摀上耳朶，還得陪笑安慰。

4

始皇在梁山宮修煉室裡，由蒙毅和幼公主侍坐，趙高則率領隨從人員在別室工作。

蒙毅和幼公主是經過盧生看相望氣後，認爲是陪伴始皇修道的最佳人選。

其實，他這樣說也只不過是預先逢迎始皇的旨意而已，因爲他知道，始皇對幼公主有種移情作用，看到幼公主就像看到死去的皇后，或者更爲恰當的說，就像見到他和皇后所生的女兒，一時看不到她，心裡就像缺少什麼似的。

至於蒙毅，他曾居廷尉，大秦如今重法，要親自和始皇共同謀求對策和解決的問題太多，也無法阻止他們見面，何況盧生也看得出，始皇對蒙毅的感情錯綜複雜。

他將他看成是未來丞相的最佳接班人，他欣賞他的器識，更喜歡他的翩翩風度。始皇偏愛儀表出眾的人，他用的侍臣沒有一個不是英挺瀟灑的，只有趙高例外，那是因爲他對他這個兒時玩伴的憐憫，蓋過了對他猥瑣面貌的厭惡。

他將蒙毅當作蒙武的替身。在所有大臣中，他最信任的是蒙武。他聰明卻不露鋒芒，他率直卻不會當面給他難堪；他能事事猜透他的心意，卻不刻意逢迎或是橫逆；他是就說是，不是就說不是，卻內方外圓，在有所爭執時，都會爲他預留台階，讓他下得了台。因此，無論國事或私事，他都能敞開和他暢所欲言。

像中隱老人這種良師和蒙武這種益友，眞是可遇不可求！而在蒙毅身上他發現到和蒙武相同的氣質，卻不像蒙武那樣消極於政治。他希望將他培植起來爲繼位者所用，不管是胡亥或扶蘇，相信他都會輔佐得很好。

最重要也是最微妙的是：由於皇后和齊虹的親戚關係，他愛屋及烏，將蒙毅當作自己的晚輩甚至是兒子。扶蘇雖好，但和他親近不起來，胡亥雖然親近，卻太沒有出息。出於另一種移情作用，他將蒙毅看成是兩者優點加起來的綜合體。

始皇對蒙毅的這種感情，不但盧生看得出來，所有朝中大臣和宮內侍臣，人人都心中有數。

此刻，始皇身穿一件白色道袍，寬袖細腰，擺長拖地，頭上戴的是一頂黑紗道冠，高聳細長，看上去倒也有幾分仙氣。他案前一座大香爐，正香煙裊裊，散發出特有的香味，味料是由侯公在華山採回的藥材所製成。

幼公主坐在他右側，看著瀰漫上升的香煙發呆，受不了香味的刺激，接連打了幾個噴嚏。

始皇正在與蒙毅討論增加謫戍人員到北邊築長城的問題，聽到幼公主打噴嚏，他回過頭來愛憐的說：

「天氣漸漸涼了，要注意加添衣服。」

幼公主不回答，只是吃吃輕笑。

「有什麼好笑的，要妳多加衣服，不要只顧著看起來輕盈，受涼生病味道不好受。」始皇儼然一副慈父口吻。

「幼公主的身材，穿再多也會是輕盈的。」蒙毅在一旁說。

也許是進宮以後營養好，幼公主發育得很快，出現了女性的第二象徵，雖然離及笄之年還有段時間，卻已變成亭亭玉立、玲瓏有致的少女體態。

「兒臣不是笑加衣服的事，而是看到父皇穿著道袍，一副瀟灑脫俗的樣子，和蒙大哥談的卻是殺人謫邊的恐怖事，所以忍不住發笑，還祈父皇恕罪。」幼公主頑皮的說。

「妳對眞人修道有意見？」始皇欣賞她的嬌態，不在意的問。

「兒臣怎麼敢有意見？只是想起家鄉的兩個故事。」她仍然收斂不住臉上那股頑皮的微笑。

中隱老人生前喜歡用說故事來啓發他，而很少有大臣敢在他面前說故事。因此一聽到她要說故事，始皇不禁又想起中隱老人，激發了潛伏已久的童心，他高興的笑著說：

「好啊，看不出妳還會說故事，早知道妳會說故事，每天都要妳說給眞人聽。」

「兒臣只有兩個，說完就沒有了。」幼公主趕快爲自己留後路，保留不說的權利。

「哪有這麼囉唆，快說！」始皇笑著喝斥。

「兒臣遵命！」幼公主規規矩矩的忍住笑俯身行禮：「第一個故事是眞人眞事。有一次下雪天，有一個年輕人又凍又餓，昏倒在村長老爹門口。那幾年匈奴沒有入侵，年成也好，家畜牛羊養得又多又肥，家家糧食吃不完，怕堆囤霉爛都拿來餵牲口，所以有人餓倒在門口，眞還是稀奇事。」

「北境竟也如此豐裕過？」始皇驚奇的說：「後來呢？」

「老村長將他灌薑水，喝熱粥，總算把他救活了，但他年紀輕輕，身體也壯，就是不肯幹活，只是飯來張口，茶來伸手，整天在野地找來找去。」

「他在找什麼？這種好吃懶做的年輕人應該發配去築長城！」始皇聽故事入神，說出了孩子氣的話。

「村長也是這麼說，不過那時候還沒有長城可築，」幼公主露齒微笑，神情像極了死去的皇后：「他最後忍不住，有一天對年輕人說，救急不救窮，救一時不救永久，年輕力壯，總該幹點活養自己，然後存點錢娶老婆。年輕人說，他家世原本不錯，他父親一心問道，養了很多修仙煉丹的師父，上山下海找仙藥，最後把家財散完了，仙也沒修煉成，前幾年去世，任何財產都沒留，卻留下一大堆修仙煉丹祕笈，現在他就是按照這些祕笈尋藥修煉。」

「村長聽了一言不發，只關照全村誰也不要給他飯吃，過了沒兩個月，他又瘦又餓的回到村長家門口，村長拿了一根牧羊杖和鐮刀對他說——給你兩樣修仙祕笈，吃飽了幹活，幹活累了，倒頭就睡著，就是活神仙。想想看，別要這樣傻，眞正能自己修煉成仙的人，還會靠別人養？」

始皇聽到這裡，臉色大變，蒙毅不免著急，為幼公主捏一把冷汗。

5

「還有一個故事呢？」始皇問。

他額中央那根青筋猛跳，表示他在勉強壓制怒氣，對一個活像玉姊的小女孩，他無法發怒，何況是他自己要她說的。

可是幼公主不知道是沒看到始皇慍怒的臉色，還是初生之犢不怕虎，敢於逆披龍鱗，她笑嘻嘻的又說：

「那次是在匈奴入侵寨子以後，幾乎家家都有死人，傷者更是滿佈全村，號叫呻吟，將整個村子變成人間地獄。上天見憐，那天意料之外來了一個救星，一位仙風道骨，相貌清奇的儒生出現了！他自己帶了一些金創藥，然後指名十幾種藥草，要寨子裡的人去找，那些藥草本就是極其普通的東西，牆邊路邊，野外長得到處是，可惜以前不知道這些野草的治傷功能。那位儒生所配的傷藥眞是神奇極了，不管傷多重，一敷上去立刻止血，三天結疤，七天脫疤，再深再大的傷口，也只會留下一點創痕。除了這以外，他開刀取箭頭，接骨拉筋，以及各種其他疑難雜症，莫不手到痊癒，寨子的人不知道他的姓名，都稱呼他活神仙。」

「他治傷收不收錢？」在一旁聽得津津有味的蒙毅此時也插口問。

「當然收錢，有時候還收得很貴。」幼公主俏皮的說。

「那還算什麼活神仙！」蒙毅失望的說。

「就是因爲收錢收得恰到好處，更顯出他是活神仙，」幼公主神祕的說：「他不是看傷的輕重收費，而是看傷者的貧富收費，所以傷輕而有錢者收的費，說不定比傷重而家貧者收的還要多好幾倍。」

「這不是不公平嗎？」蒙毅有點不服的問。

「可是他有他的算法，窮者出的錢雖少，卻是他們生活所必須，富者出的錢雖多，在他們可是多餘的。千金對富人來說，有時候還比不上一個銅錢對窮人的重要！」

始皇的怒氣如今已逐漸平息，他注視著這個美麗的小女孩，忍不住在心裡想，到底是從民間來的女孩——就跟死去的皇后一樣——明白民間的疾苦，他那些自幼錦衣玉食，在宮人保母之手養大的公主，哪懂得這麼多！他興趣漸濃的笑著對蒙毅說：

「聽故事不要打岔，讓她說完再議論。」

幼公主笑笑又繼續：

「當然，對有些赤貧的人，他不但不收費，反倒貼出營養費。他說截長補短天之道也，所以物盛則殺，水滿則溢，月滿即虧。虧貧養富人之道也，所以往往是貧者越貧，富者越富，他乃是替天行道，平均一下財富。說也奇怪，他不知從哪裡打聽到的，所收的費用竟和傷者的財富成比例，而在他走的時候，他也未帶走分文。村長在他走後曾讚嘆說，這才是眞正的活神仙！」

「故事說完了？」始皇笑著說：「想不到我這個女兒這樣會說故事。」

「這不是故事重點，父皇是否還想聽下去？」

「當然，當然，眞人想聽的是重點！」始皇撫鬚哈哈大笑。

幼公主喝了口茶又說：

「有一天，一位村中父老忽然宣佈，他夢見神人對他啟示，這位活神仙眞正是上帝派來救世的南極仙翁，他有長生不老、活死人生白骨的法術。這下不得了，全村的人紛紛焚香膜拜，哭求他將他們家的死人變活過來。」

「這不是胡說八道，強人所難？」始皇不自覺的說出這話，但說出以後大感不對，自己不正也是在求長生之術？他的神情非常尷尬。

但幼公主視而不見的往下說：

「那位活神仙一再聲明，他不是什麼南極仙翁，只是會點醫術罷了，連他自己也不相信世上有什麼神仙和長生不老的人，否則他自己就不會老成這個樣子了。但他說什麼村人都不肯相信，日夜都有人點燭焚香圍著他苦苦哀求，說就算是不能使他們心愛的人都活過來，至少也要讓那些新戰死、屍體還未爛的親人活過來。」

始皇低頭若有所思，蒙毅一直搖頭，不知在想什麼。

幼公主注視著始皇焦黃的臉，她臉上忽然現出憐惜：

「這樣求了幾天幾夜，活神仙吃不好又無法睡覺，自己差點就要變成死人了。最後他受磨不過，只得說——好了，每家都將想活過來的死人名單開上來。村民高興的紛紛開出名單。活神仙說——首先你們要去蓋房子容納這麼多活過來的人，然後再算算家裡的開銷，復活的人和沒死的人一樣，要吃要喝，還有別的支用，你們負擔得了嗎？於是大家面面相覷，半天作不了聲，因爲按照所開名單，至少村子要擴大五倍，於是很多人打了退堂鼓。但有些富人和有新戰死者的人家還是不甘心，堅持哀求。活神仙又說——好了，開劑藥方給你們。大家拿到藥方一看，倒是幾味極普通的草藥，只是藥引卻是：以家裡從未死過人者的頭髮三錢，燒成灰和藥吞服。這下大家都傻了眼，也都明白過來，沒有死去的祖宗，哪有活著的自己？所有的人都不死，這麼多新生的人如何養？地上會變成什麼樣子？」

「故事完了？」始皇失神的抬頭問。

「講完了，」幼公主突然悲從中來，起身跪伏在地叩首，兩眼含淚的說：「故事半爲眞實半爲杜撰，還祈父皇恕罪！」

始皇愛憐的撫摸著她的秀髮，柔聲的說：

「妳故事講得很精彩，朕怎麼會見怪。」

「父皇救兒臣於危難孤苦，恨不能折壽讓父皇長命！」幼公主哽咽的說。

「朕知道妳的孝心。」始皇又陷入沉思。

「父皇日夜爲國事操心，現又居無定所，食不定時，再以尊貴的身體學神農氏嚐百草，兒臣爲父皇擔心。」

「朕自有分寸，用不著妳操心。」

「但父皇很明顯的瘦了。」幼公主抬起頭來，淚汪汪的看著始皇。

「眞的嗎？朕覺得近來的精神更好。」始皇摸摸自己凹下去的臉頰。

幼公主還想說點什麼，蒙毅拚命向她使眼色。

始皇這時看到山腰有大隊人馬過去，他乘機轉移話題出這口悶氣。除了死去的皇后和中隱老人外，從沒有人敢說故事來諷刺他，連王翦和蒙武都不敢。但他無法對這樣愛他的小女孩發脾氣，現在正好找到發洩。

他找來趙高指給他看：

「眞人在這裡清修，哪來這麼多的人馬嘈雜？」

「奴婢剛才就查過了，乃是李斯丞相行獵，路過此地。」趙高恭謹啓奏。

始皇站在陽台上看去，只見駟馬車十多乘，前後面的隨騎好幾百人，還有幾十條獵狗由養狗人牽著，奔跑吠叫，好不熱鬧。而丞相旗號令旌翻飛，在陽光下鮮艷耀眼得很。他忍不住看看站在四周的近侍，哼了一聲說：

「李斯眞是會擺威風，比眞人私下出遊帶的人還多！」

秦始皇帝不滿的話，很快由李斯安排在他身邊的耳目傳給李斯。

李斯深怕受責，以後出行也就輕車簡從，盡量減少跟隨的人。

但這更引起始皇的懷疑和恐懼。這還得了！他曾下令，他在後宮的行動，近侍不得透露給任何人，違令者死！誰知道他在梁山宮隨便一句話，立刻就傳到李斯耳中，很明顯的，他的近侍已有人爲李斯所收買。

他下令趙高徹查。

6

在梁山宮地下室。

這裡潮濕陰暗，不分日夜，四周牆壁還不時滲著水滴，唯一提供室內光源的是壁上燃燒的桐油火把。火把的火焰時大時小，室內也隨之明暗不定，更增加了陰森之氣。

趙高將這裡權當審訊法庭，他高據席案而坐，矮小的身體，猥瑣的面目，雖然望之不似人君，但在陰森的氣氛襯托下也有幾分威嚴。

地上跪著十幾名當天輪値的近侍和郎中，一個個腳鐐手銬，蓬頭垢面，早已嚇得渾身發抖，幾名宮女更俯首低泣，什麼話也說不出。

「你們中間誰洩漏了主上的話，趕快承認，不要連累大家！」趙高尖銳的聲音在空曠的石室內迴蕩，特別刺耳。

跪在地上的眾人沒有人說話。

「看來不用刑你們是不肯說實話的，」趙高大聲恫嚇：「來人！將他們轉過身去，參觀一下刑具。」

幾名如狼似虎、挺胸凸肚的刑卒走上來，將這些平日嬌生慣養的內侍，像趕小雞似的推拉轉過身去。

在黯淡的火把光下，排列著各式各樣稀奇古怪的刑具，顯得猙獰可怕。最普通的拷打用的是鞭子，這種特製皮鞭上帶銅刺，輕輕一鞭打在背上就是鮮血淋漓。再頑強的用二龍櫈，也就是將犯人雙腿緊綁在一張櫈子上，然後在腳下面墊磚頭，膝關節向反面扭，其痛楚任何人都難以忍受。墊一塊磚頭不招，再墊第二塊，鐵打的漢子也受不了。

再有就是用火烙，在火盆裡燒紅的烙鐵一放上胸口，就聽到「滋」的一聲，接著是一陣肉焦味，受刑人此時受不了痛昏厥過去，用涼水噴醒再問，不肯招再烙，再硬的英雄也禁不起連烙上三記。

最慘最殘忍的是「斷龍爪」刑法。這種刑法是利用特殊刑具拔指甲，不肯招供先拔一根手指的指甲，十指連心，這種連心的痛，神仙也熬不過。拔去指甲還有可怕的後遺症是手指不能碰任何東西，稍一碰及就是澈心的痛。

另有一種看似輕鬆卻難以忍受的刑法是「洗仙腳」，這種刑法是將人綁在長櫈上，用豬鬃刷刷腳心，犯人忍不住癢一直大笑，最後笑得眼淚、鼻涕、屎溺齊出，眞是求死不得，求生不能，別的刑法會痛昏過去，不能連用多次，而這種刑法要用到你笑著說願意招認才會停。

還有……

還有……

一個敞著衣襟、胸毛接連著虬髯，一道粗黑通到底的刑卒，用雷鳴似的吼聲介紹完這些刑具，有幾名膽小宮女早已嚇得昏過去，幾名刑卒連忙在臉上噴水，又讓她們醒過來，然後拖拉這些人回轉身體，面對著趙高跪下。

趙高先發出一陣鷺鷥般的笑聲，然後故作仁慈的說：

「你們都是自小入宮，幸受主上恩寵，才得選拔爲近侍，這次爲什麼要洩漏主上行蹤？」

眾人大聲齊呼冤枉，尤其是幾名宮女更是哭泣著說，她們身居深宮，連丞相府在咸陽哪條街上都不知道，如何能通風報信？

「大膽，不想認罪還要狡賴，當天只有你們這些人在場，不是你們，難道說還會是蒙廷尉和幼公主？」他過一會想起來什麼，又補上一句：「難道會是本郎中令嗎？」
眾人之間一陣竊竊私論，趙高耳朵尖，彷彿聽到一個童稚的聲音細語：
「這可說不定！」
趙高仔細循著聲音方向看去，乃是一個只有十六、七歲的小郎中，因係宗室，父親又在滅楚戰爭中陣亡，特准入宮任職。趙高暗記在心，並不立即發作。
「有人承認，本宮會爲他向主上求情，最多不過罰『鬼薪』三年，到皇陵去守墓，砍宗廟所需燃薪。要是經過嚴刑逼供才肯招認，到時候就是死刑，甚至是滅族！」
眾人面面相覷，互相討論了一下，又齊聲喊道：
「啓稟大人，我們眞的沒有做，要我們怎麼承認？」
趙高先是哈哈一笑，然後凶狠的說道：
「你們久居深宮，不知大秦法律的厲害，借這個機會給你們先上一課！」
趙高教慣了胡亥刑名之學，胡亥在上課時總是跟他瞎纏胡鬧，急著放學去玩，根本就不想聽，趙高一直感到懷才不遇，除了借著這個機會表現自己一番，同時還有進一層的深意。
「你們知道嗎？洩主上之密，按大秦律法應當處死，而死刑卻有十二種——當眾斬首謂之棄市；私室以劍穿心名之戮死；攔腰而斬，上身痛苦得滿地爬行，血流盡而死謂之腰斬。

車裂就是用五部車子將人拉成五段；阬就是活埋，這用不著解釋，磔就是一刀刀肢解致死；鑿顚就是擊碎腦袋——抽脅就是抽筋拔骨；釜烹用不著解釋。戮屍、梟首以及夷三族（父、母、妻等家族），不用解釋，你們也會明白。至於具五刑處死，就是先削鼻，再砍斷左右腳趾，鞭殺後，再懸首城門示眾，將屍體當眾剁成肉醬……」

「不要說了！不要說了！」一名宮女尖叫，又嚇暈過去。

「好吧，既然這樣怕，就乖乖承認吧，本宮保證自首的人最多謫邊北境，或是罰城旦，日夜守城門四年。」

這些人議論一陣，還是沒有結論，幾名宮女更是披頭散髮，拚命向這些郎中近侍叩頭，嘴裡哭喊著：

「你們這些平日自命爲大丈夫的男人，一人做事一人當，有膽做就應有膽承認，不要連累我們這些無辜的女子！」

「不錯，」趙高點頭微笑：「但男人沒有承認以前，妳們這些女子也脫離不了關係！」

隔了很久，還是沒有人承認，趙高又嘻嘻作鷺鷥笑：

「既然好話說盡，你們都不知趣，看樣子是不見棺材不流淚，本宮非用刑不可了，來人！」

「在！」十幾名刑卒齊聲應諾，就像震天霹雷一樣驚人。

「大刑伺候！」

「是！」

十幾名刑卒跑步各就刑具位置。

趙高瞇著鼠眼在人叢中尋找，最後目光停留在那個小郎中身上，他指著他輕聲細語的說：

「將這個俊秀的小伙子留下，其他的關到隔壁囚室裡，讓他們再考慮考慮！」

「是！」幾名刑卒將這些垂頭喪氣和痛哭喊叫的男女帶走。

7

隔壁囚室寬大空曠，裡面只鋪著一些草堆墊。這就是這些平日錦衾繡被的男女雜居的地方，監禁了這幾天，他們不得不以身體互相禦寒，一天兩餐只有清水和硬得像石頭的粗饝。這處囚室只有一扇有鐵護欄的窗子，正好就對著趙高所在的囚室。現在大家帶著既害怕又好奇的心理擠在窗前觀看，想知道趙高要如何對付這個小郎中。

窗口太小，只容得三、四個擠著看，其他的男人就圍在附近聽室外動靜和觀察者的報告。女人則坐在地上，又想聽又怕聽，有幾個還在低泣。

「你叫什麼名字？」趙高在問。

「我叫嬴政。」這個小郎中說話還帶著童音。

「這小子有種，立而不跪！」在窗口正中窺視的那名郎中說。

「現在本官問你，這次是否你洩密？」趙高的聲音和藹。

「不是我！」小郎中回答得斬釘截鐵。

「那你知道是誰嗎？」

「不知道！」語氣仍然堅決。

「你不怕受刑嗎？」趙高聲音已帶著殺氣。

「不知道就是不知道，我不能胡亂冤枉別人。」

「好吧，你人雖小，骨頭倒是很硬，讓你試試是你骨頭硬，還是我的刑具硬，來人！」

「在！」十幾名刑卒齊聲喝應。

「先用皮鞭打，看他皮肉硬不硬？」趙高冷聲說。

「是！」

「他們將他綁在柱子上，脫去了上衣，刑卒現在取出鞭子，還好是沒帶銅刺的！」佔據鐵窗中央的郎中一一轉述。

此時傳來陣陣皮鞭抽打的聲音。

囚室內的男人個個膽戰心驚，女人都蒙頭塞住耳朵。

「看不出你這小子倒蠻有種的，連哼都不哼一聲！」趙高冷哼了一聲，尖聲高叫：「用烙鐵！」

只聽一陣「滋——滋」，接著是嬴取一聲痛苦的嗥叫，像被刺中的野獸，聽了使人毛骨聳然。

「這小子暈過去了，刑卒在他臉上潑水，胸前好大一塊烙印，肉全燒焦了！」那名窗口的郎中繼續轉述。

「求求你不要再說了！」一個蹲在草堆前面，兩手摀著耳朵的宮女哭著說。

「說還是不說？」趙高這次不再作鷺鷥笑，而是格格像貓頭鷹叫：「再烙一次！」

又是烙肉的滋滋聲和肉焦味，又是嗥叫和潑水聲，這樣接連兩次，只聽到刑卒說：

「啓稟大人，囚犯因熬刑不過，咬舌自盡。」

「哼，拖下去埋了！」趙高似乎意猶未盡的說：「便宜了他！」

「他們在幫他解綁，屍首倒地了，他們就將他在地上拖，像拖條死狗一樣！」那名窗口郎中仍然在活生生的描述：「啊，好可憐，細皮嫩肉的胸部全變得血肉模糊。」

「不要說了！不要說了！求求你！」幾名宮女擁抱成一團哭泣：「這眞是天降橫禍，我們什麼都不知道！」

這時只聽到趙高在交代典刑：

「今天這個小子算有種，但已破壞了本宮問案的興致，明晚再開始問，不相信不會問個水落石出來。」

「是，大人。」典刑恭敬的回答。

「注意不要再有人自盡。」趙高的聲音。

「來時我已搜過身，他們可能用來自盡的東西都已沒收了。」典刑回答。

「好，多注意點。」

眾多的腳步聲，關鐵門的聲音，最後整個地下室一片可怕的沉寂。

「都走光了，這間囚室的門鎖著，鐵門也上了鎖。」窗口那名郎中轉過身來，臉色蒼白，在桐油燈黯淡的光照下，像張死人的臉。他對周圍這些充滿沮喪絕望的可憐人說：

「各位，明天晚上又不知道輪到誰，你們怎樣想法我不管，我自己是覺得活不下去了，與其這樣受盡痛苦凌辱而死，不如早尋個痛快了斷！」

「不錯，要是讓我這樣脫掉衣服受刑，讓父母所遺的清白身體受辱，還不如早點死！」一名宮女也氣節凜然的說。

「現在我們身上能尋死的東西全拿走，連褲腰帶都沒給我們留下，想死，拿什麼來死！」

「我這裡早準備好東西，」那個先前獨佔窗口的郎中詭祕的說：「我藏在他們找不到的地方。」

他取出一包藥物來，乃是宮人都熟悉的「鶴頂紅」。

「想死的就來拿吧！」他慷慨的說：「要死就死在一起，黃泉路上彼此有個照應。」

眾人都紛紛上前來要，他一一發放完畢，然後體貼的說：

「服藥不要有先後，免得後死的人害怕，聽我喊一二三，就一起吞下去。」

十幾個男女圍成一個圓圈，他正好在圓圈中央，當他喊到「一」時，就有半數的人吞服了。包括所有宮女，在喊到「二」時，全部人都吞服下去，因爲大家都怕死在後面，看別人的死相難受。只有這位郎中沒有吞服，因爲他要喊「三」。

等到他喊「三」時，所有的人都倒了下去，他也跟著倒了下去，可是並沒有吞藥，反而是過了一會，爬起來一具一具摸屍體探鼻息。確定所有的人都斷氣後，他走到門口用力擂門。

一會鐵門開了，囚室門也開了，趙高帶著典刑和兩名侍從，笑容可掬的走進來。

「辦好了？」趙高微笑著問。

「幸不辱命！」這名郎中恭敬的回答。

「全死了？」趙高又問。

「屬下一一檢查過。」

「辦得好！」趙高向兩名隨從示意。

兩名隨從一人一隻手將這名郎中的手反綁。

「大人，這是做什麼？」這名郎中驚呼。

「十幾個人都死了，你一個人獨活，讓我怎樣向主上交代？」趙高又作鷺鷥笑。

「趙高，你這個陰險毒辣的小人！」這名郎中自知絕望，破口大罵。

「別逞一時口舌之快，你難道不想全屍走得痛快，要像今晚那個小傢伙一樣？」趙高臉色變得鐵青：「念在你幫本宮做了點事，我親手送你上路。」

說完話，趙高自袖中取出一包「鶴頂紅」，捏著他的鼻拉開嘴，整個硬倒了下去，再將他嘴合上，想吐都吐不出來。

沒過一會，只見他的掙扎逐漸微弱，兩名隨從將他丟在地上讓他斷氣。

典刑嚇得臉色蒼白，兩腿像瑟絃一樣，不停的抖動。

「沒你的事，聽話一點，就沒你的事！」

「屬下知道。」典刑結結巴巴的說。

「你知道什麼？」趙高和藹的問。

「嬴取熬刑不過，咬舌自盡，其餘的人畏罪自盡。」

「對，就這樣呈報上來！」趙高笑著點頭。他又轉向兩名侍從說：「還有你們兩個，你們又看見什麼？」

「小人什麼都沒看見。」兩名侍從齊聲回答，聲音發抖。

「好！有時候裝聾裝瞎，比自認聰明好！」趙高又作貓頭鷹笑。

趙高將典刑的報告轉奏始皇。始皇皺皺眉頭說：

「這樣還是沒查出洩密的人！」

「洩密者一定在這些死者當中，不過陛下要是不滿意的話，奴婢可以再擴大偵辦。」趙高唯恐天下不亂的說。

始皇沉默不語。

在一旁侍坐的蒙毅啓奏說：

「如此一來，後宮人員有了前車之鑒，相信不會再發生類似的事情了。不過大臣收買君王身邊近侍做耳目，這是自古以來難免的事，只能今後淸查防止，臣不認爲該因此而興大獄，連累太多人！」

「蒙廷尉說得對，郎中令，今後要嚴密防止類似事情。」始皇轉頭對趙高說。

「奴婢遵命！」趙高行禮退出，忍不住一臉的笑。

8

那夜始皇獨宿咸陽宮，沒有召妃姬侍寢。

雖然他居處不定，但批閱奏簡文書卻從來沒有鬆懈過，都是隨車帶著走，他規定自己每天必須批閱一石（百二十斤）奏簡才能休息。

今夜批完這些奏簡後，他已覺得精神支持不住，經過幼公主提醒後，他發現自己的身體是越來越差。他不敢再找侯公、石生他們開方配藥，因爲服了他們的藥後，一時感到體力充沛，男人的需要特別旺盛，但過了一段時間會加倍覺得疲憊。

經過太醫的診斷，他是操勞過度，肝火上升，除了服藥淸心以外，還需多休養，禁戒女色。

戒女色對他不是難事，但要他閑著什麼事都不管，他還是死了的好。於是每逢太醫說他又操勞過度時，他總是笑著爲自己解嘲：

「朕已聽了你一半的話，你該滿意了。」

今晚他休息得特別早，睡得也好。睡到半夜，忽然聞到一陣熟悉的焚香味，身邊響起一陣輕微悠揚的琴聲。

那種似醒非醒，似眞似幻的氣氛又籠罩住他，他想睜開眼睛，卻覺得好沉重，怎樣也睜不開，只得靜靜躺著聽琴。

彈琴的是高手，彈的是皇后最喜歡的一首曲子，而且歌詞也是她的最愛——

初識卿兮髮覆額，
桃花燦兮小樓西。
滄桑盡兮成眷屬，
長相守兮莫分離！

他和著琴聲在心中一遍又一遍默念著這首歌，不自覺眼淚汨汨流出。在皇后死後，每逢聽到宮人彈這支曲或唱這首歌時，他都會忍不住流淚，何況是在這種似睡又醒、感情最脆弱的時候。

琴聲忽歇，正在他極力想睜開眼睛讓自己清醒時，只聽到有人在他耳畔細語，像是皇后的聲音，但要年輕得多。這個聲音單調而一再重複：

「你睡著了！你睡著了！你在夢中！你在夢中！」

「我在夢中，我在夢中！」他跟著在心中默唸。

「小杜子，我是玉姊，念你對我用情之深，憐你相思之苦，特地來看你！」這個聲音清脆甜膩。

「玉姊！」他想大聲歡呼，可是卻聽不到自己的聲音。他掙扎著想睜開眼睛坐起來，但身體和眼皮都好沉重，完全不聽指揮。

「玉姊，妳的聲音好年輕！」他發出囈語。

「傻瓜，玉姊現在是神仙，當然會越來越年輕。」

「讓我醒過來，好好看看妳。」他要求。

「此時此刻，醒也是睡，睡也是醒，似夢似眞，情調豈不是更美？」她輕輕吻著他的耳根。

耳根是他的敏感點，這只有皇后和幾個他比較喜歡的妃子知道。

他男性的慾火燃起，一發不可收拾，但他卻發覺自己無法主動。

她爲他脫去了衣服，然後他感覺一個赤裸光滑的女體在擁抱他，親吻他，爲他做著《素女經》上記載的各種動作，但動作卻非常生澀。

「不是玉姊，也不是任何一個妃姬，她還是個處子！但哪個宮人這樣大膽，敢於如此戲弄我！」

但他這種憤怒沒有維持很久，因爲很快他就進入欲仙欲死的境地，情欲的浪潮淹沒了他所有思想。

激情過去，他眞的睡著了。

不知睡了多久，耳邊又聽到剛才那個聲音在喊：

「陛下，醒醒，陛下，醒醒！」

這次他是眞醒過來了，他發現身上已穿好睡袍，但臉上濕濕的，似乎有人用冷水爲他擦過臉，他翻身坐起，在燈光下看到一個宮女跪在床前。

「妳好大的膽子！」始皇怒喝。

但看到這名宮女不是別人，正是上次裝皇后尸主的人，也是他平日愛烏及屋最寵愛的侍女，再想想餘味未盡剛發生的事，他不禁心又軟了，他柔聲的問：

「爲什麼妳要這樣做？」

「爲幼弟伸冤！」宮女仰起帶淚的臉，在始皇眼中更爲楚楚可憐。

「妳幼弟是誰？有什麼冤？」

宮女將嬴取的事說了。

「趙高敢這樣膽大妄爲？不過他是奉朕命行事，雖然做得過份一點，倒也無可厚非，刑重致死，畏罪自盡乃是常有的事，」說到這裡始皇沉吟一下又問：「妳爲什麼要這樣做？」

「奴婢早知道幼弟這件事動不了趙高！」宮女已經硬咽著說不下去。

「那妳就用這種蠢辦法？」始皇厲聲的說：「妳認爲朕是可以用女色誘惑的嗎？」

「奴婢絕無這種愚蠢想法，陛下後宮三千佳麗，奴婢還不至自信狂妄到這種程度！」宮女擦乾眼淚堅強起來。

「那是爲什麼？」

「奴婢要揭發趙高一項陰謀，欺騙陛下的大罪行！」

「哦？」始皇搖搖頭：「他會有什麼陰謀？」

「他聯合那些術士用安息香和催眠術欺騙陛下。」

「妳的話作何解釋？」始皇仍然不太相信。

宮女將趙高串通盧生要她假裝皇后附體的事說了。

「眞有這種事？」始皇驚問，但依舊有些許懷疑。

「奴婢預料到空說無憑，所以不惜褻瀆陛下，將安息香和催眠術的效用從頭到尾表演一遍。」

「唉！」始皇嘆口長氣，神情變得非常沮喪。他雖然知道趙高為人卑下，但一直認為對他是絕對忠誠的，真是想不到會這樣！

何況他做了這樣久的神仙夢，一下就從雲中跌下來，跌成粉碎。

「妳為什麼不早說，妳參與其事，要朕如何安排妳？」始皇聲色俱厲。

「奴婢早就安排好了後事，先父隨王翦將軍征戰多年，為國捐軀在楚地，母親早年去世，奴婢只有嬴取這一個幼弟相依為命，他死了，奴婢活著也沒有什麼意思。」

「妳叫什麼名字？妳如何安排自己的後事？妳的生死操在朕的手上！」始皇裝成不悅的說。

「奴婢名叫嬴英，要生操在你的手上，但死你管不了！」嬴英昂然的說。

「妳說什麼？」始皇著急的下床來拉她，但她全身痙攣的倒在始皇懷裡。原來剛才她趁著擦眼淚的時候，早就吞下了毒藥。

「嬴英！妳為什麼這樣傻？嬴英，聽不聽得見朕的話？朕會嚴辦趙高！」

「謝謝陛下……」她微笑著閉上眼睛。

9

在發生嬴英事件的同一個傍晚，也就是始皇正忙著批閱那一石奏簡，猶未休息就寢的同時。

盧生、侯公、韓終和石生幾位儒生兼方術大師正在盧生住處聚會。

盧生住處雖裝潢佈置得仙里仙氣，但僮婢成群，起居用具豪華，不像一般流浪在街頭的方士。

他坐在密室的主位上，臉在燭光照不到的陰暗處，顯得格外的神祕。

他背後神案中央有兩幅畫像，一幅是老子李耳騎青牛出散關，一幅是孔子孔丘儒服儒巾佩長劍。

神臺上香爐中香煙裊裊，中間供着鮮花時果。

盧生首先發話：

「我得到消息，徐市這次回會稽接家眷，雖然會稽郡守得到消息慢一步，沒有抓到他，但他派來咸陽和趙高連絡的人卻在下午被捕，我們得趁早作打算。」

「徐市在嬴政和趙高面前都比我們得寵，扳倒了他，我們正好趁此機會出頭，這是個好消息！」白髮蒼蒼的侯公說。

「你眞是祭祀前的太牢（牛）不知死活！」石生插口說：「徐市滯留海外不敢回來，嬴政追查，就會查到趙高和我們這些人的關係，我們一個都跑不掉。」

「那是你的說法，你教嬴政的《黃帝素女經》，完全是不登大雅之堂的房中術，將他練得中氣不足，眼圈發黑；我給他的藥卻是道地的補氣強身仙方，長久服用就是不能成仙，至少可以延年益壽。」侯公反唇相譏說。

「延年益壽？哼，乃是和兄弟我相輔相成的壯陽藥吧？要不是韓終兄的丹藥和練氣，嬴政恐怕早和他先父見面去了！」石生不甘示弱，又還他幾句。

面色紅潤、自稱六十多歲、但看上去如四十許的韓終，面帶不屑，始終未發一言。

「現在不是吵架的時候，我請各位來只是轉告這個消息，怎樣打算全在你們自己，我本人是準備今天晚上就走，韓兄，你的意下如何？」

韓終被指名發表意見，他不得不說：

「徐市遲滯不歸，總會有他一套說詞，再加上趙高素得嬴政寵信，只要他美言幾句，兄弟相信不會有事。再說，像嬴政這樣堅信求仙之道，出手又是如此大方的主子，哪裏還找得到？」

「當然，韓兄是靠眞才實學，能讓嬴政信任，像盧兄和兄弟這種故弄玄虛、左道旁門之術，遲早會被揭穿。有人說，得意不可再往，夜路走多了總會碰到鬼，又說知足常樂，這幾年我們雖比不上徐市，但嬴政所賞賜的也夠我們養老了，我贊成盧兄的意見，要走趁早。」石生不客氣的說。

「就是要走也總得準備一下，」侯公說：「這幾年，我看準咸陽附近的建築用地會漲，因此買了點地，必需處理掉！」

「唉！」盧生嘆口氣說：「嬴政雖然一時迷於仙道，但他到底是個權力慾極重的人。天性剛愎自用，專任獄吏，以刑殺立威，其餘朝中大臣莫不是奉迎意旨，尸位伴食而已，這種人不要說求不到仙藥，就是求得到，我也不會幫他求。侯公，你那點地皮算什麼？嬴政答應明年給我樓船十艘，人員任我挑用，我都不等了，你還等什麼？留得青山在，不怕沒柴燒，韓兄，你說不對？」

「我想不急在一時，我放了點債在外面，也得費點時日去收。」韓終回答。

「好吧，話說到這裏爲止，散會以後我就要走了，」盧生微笑的說：「後會有期！」

「你就這樣走？」侯公驚問。

「當然，房子是租的，僮婢是嬴政賜的，一部安車，一名書僮趕馬，足夠了。」盧生微笑。

「兄弟也是如此，各位請了。」說着石生起立告辭，飄然而去。

「識時務者爲俊傑，石生之謂乎！」盧生望着石生出門的背影讚嘆。

「那些研究小組的成員如何？要不要轉告？」侯公問。

「人多口雜，傳出去可不是玩的，各聽天命吧！消息晚一點他們總會得到，讓他們自己去作打算！」

「盧兄去哪裏，以後是否可以連絡？」韓終問。

「目前尚無定處，我等名士，日後總是打聽得到的。」盧生見韓終和侯公想要留下，他當然不能給他們出賣他的機會。

三人行禮道別，臉上都裝出惜別依依之情。

10

始皇下令徹查盧生裝神弄鬼事件，廷尉蒙毅奉旨辦案，先將郎中令趙高扣押，再去捉拿盧生時，卻發現他早在夜間逃亡，於是將侯公、韓終及幾十名研究小組成員全部收押。

侯公及韓終這時才佩服盧生有先見之明，但是悔之已晚。

始皇痛心神仙夢的破碎，再加上「一夜皇后」嬴英死在他懷裏，悽惻的表情令他難忘，他決意擴大偵辦這件案子。一夜之情使他有愧於心，他追封嬴英爲哀妃。

他向蒙毅交辦此案時，特別加重語氣說：

「朕對趙高一向不薄，並且信任有加，他竟串通術士來欺騙朕，喪心病狂，卿要確實查明他的動機嚴懲。至於盧生、侯公等人，朕可說是尊崇備至，視爲上賓，花費了這麼多的錢，原來是個大騙局。徐市滯留海外不歸，盧生、石生逃亡，着予通令天下追緝，趙高等人要速審速決！」

「臣遵命！」蒙毅急忙大聲回答。

蒙家人和死去的皇后一樣，都是見到趙高那副醜陋猥瑣的長相就想吐，但蒙毅爲人忠厚，並不想乘機落井下石，而是想盡量加以開脫。

爲了顧及始皇的面子，蒙毅沒有將趙高等人押到廷尉大牢，而是監禁在梁山宮地下室趙高所設的臨時審訊室內，這正應了「作繭自縛，天道好還」這句俗話。

那天夜裏，蒙毅首先提訊趙高。

室內的各項刑具，在搖晃的桐油火把光下顯出猙獰可怕的面目，陰森潮濕的石壁還在滲着水滴，周圍站立眾多凶神惡煞般的刑卒，所有情景就和他當時審訊那個小郎中完全相同，只是主客易位，如今他是受審人。

「趙高，你將和盧生等人串通欺君之事痛快招來。」蒙毅說話相當客氣。

在說話中，他用手環指了一下所有刑具，含蓄的說：

「這些東西，都是你設計製作而用在後宮人員身上的，構造之巧連廷尉刑具都自嘆不如，你自己應該知道厲害。」

趙高當然知道厲害，在他手下用刑致死，或是熬刑不過設法自盡的人，並不止嬴取一個。他知道以他養尊處優慣了的單薄身體，任何一樣刑具都會送掉他的命。

因此他心一橫，決定什麼話都和盤托出。他裝出一副可憐的樣子，用兩隻戴着手銬的手擦拭着眼淚：

「蒙大人什麼都用不著問了，一切我都承認，只有一樣要蒙大人開恩的是，將來呈奏我的口供時，請將我這樣做的動機詳細明白轉呈主上。」

「本廷尉也非常奇怪，以你目前的權勢地位，要什麼會沒有？偏偏要和這些術士串通欺騙主上。」蒙毅說。

「其實犯官也是一片苦心，爲了主上好。」趙高淚如泉湧的哽咽着說。

「你有什麼解釋，本廷尉會一字不漏轉奏主上。」

「當年主上泰山封禪後，就一心想求長生不老，後來正好有徐市向我進言，他到過海外仙島，犯官心中雖然也有所懷疑，但見到主上日夜不安的樣子，為了想求主上心安，所以將徐市推薦給主上。」

「那徐市滯留海外不歸，甚至將家眷偷偷接走，卻又派家僕來與你連絡，你又作何解釋？」

「徐市因找不到仙島，所以數年不敢歸來，派家僕連絡，只是要犯官在主上面前代為說情，言他找到『青泉之泉』就立即回來。同時他要這名家僕傳信，所以找不到仙島，乃是每逢快接近仙島時，就會有水怪從中作梗，因此要想找到仙島，就必須先找到能制伏這些水怪的能人。」趙高口才很好，說來頭頭是道。

「那盧生之事你又作何解釋呢？」前一件事蒙毅似乎完全為他所說服。

「自皇后去世，主上一直悶悶不樂，龍體日益清瘦，食不下嚥，睡不安寢，這是後宮人人都知道的事。犯官看這樣下去，主上身體一定會衰弱，國事也會因此荒廢無人治理。恰巧盧生有次閑話，說他曾從西域異人習得催眠術，可以將人催眠到半醒半睡狀態，而催眠者就能左右被催眠者的意志。為了緩和主上思念皇后之苦，所以犯官和盧生就商議出這次的行動。我做這兩件事本意都是為主上好，蒙大人開恩，在主上面前多加開脫。趙高不死，定當粉身回報，即使不能挽回，趙高在陰間也會結草以報！」

說完話，趙高滿臉淚痕，跪在地上叩頭如搗蒜，很快前額就血流如注。

蒙毅沒有什麼好再問的，就命趙高還押，單獨囚禁在先前宮人集體自殺的空室裏，再繼續審問其他的人。

趙高雖然沒受到一點刑求，但單獨關在這樣空曠的大石室，除了草堆沒有任何臥具，冷得牙齒打顫，雙手抱頭蜷伏在草堆裏面。

他鼻子還聞得到屍臭味，閉上眼睛，就彷彿看到那些人披頭散髮，嘴邊還掛着血絲向他索命。帶頭最凶猛的是那個小郎中，他張開沒有舌頭的血盆大嘴要咬他的頭。

他又冷又餓，又倦又睏，卻是不敢閉上眼睛，實在支持不了而睡着時，立刻就爲各種惡夢嚇得驚叫醒來。

這幾夜的經驗養成他以後常做惡夢的習慣。

11

始皇在南書房接見廷尉蒙毅，聽取趙高案結案情形，幼公主侍坐。稟奏完案情及趙高的解釋後，蒙毅說：

「按律趙高當滅族，諸生應處死，但趙高所解釋並不是沒有道理，念在他本意不惡，還請陛下寬恕。」

「朕倒是頭次見到這種怪事，廷尉爲犯人求情！」始皇笑着說：「但你可曾想到，趙高器量狹小，睚眦必報，這次你不管判他什麼罪，他將來都會報復。」

「蒙毅是以事論事，趙高行爲當誅，但存心可憫，」蒙毅爭辯說：「而且他知道臣是奉命行事，又在幫他說情，他怎會轉而恨臣？」

「不可，趙高是條毒蛇，只要碰到他，他咬人是本性，並不需要任何理由。處死他，免滅族。」始皇語氣堅決的說。

蒙毅還想再爭，卻看到幼公主在向他使眼色，他一時會不過意來，幼公主開口說話：

「蒙大哥，你就照陛下的意思辦理。按理說，趙高是陛下兒時玩伴，又是胡亥公子的師傅，比你和趙高的關係親密得多，陛下如此決定，當然自有他的深思。」

「到底還是幼公主明理。」始皇誇獎一句。

蒙毅不便再說什麼，始皇正想跟他談別的事，幼公主突然又說：

「父皇，兒臣在上苑栽了幾株異種花，不知道名字，聽聞蒙大哥是園藝專家，兒臣想帶他去看看。」

「好吧，」始皇答應：「朕還要和蒙毅商量正事，早去早回！」

蒙毅滿頭霧水的跟著幼公主出到外面，才抱怨她說：

「我和陛下正在談正事，妳爲什麼這般孩子氣？」

「你不是想救趙高嗎？」

「是啊，這跟妳拉我出來有什麼關係？」蒙毅還是不懂。

「看趙高那副討厭的樣子，你爲什麼要救他？」

「這不是討不討厭，而是理應如此。第一，他做這件事的本意不壞，第二，他父親曾爲莊襄王替死，殺了他，主上日後也會後悔。妳剛才爲何阻止我勸諫？」蒙毅嘆口氣說。

「第一，以你的身份，你阻諫不了父皇，弄不好還會受罰，」幼公主學蒙毅說話的口氣：

「第二，據我所知，救趙高的有力人士就快到了，你留在那裏反而誤事！」

「是李斯？」蒙毅問。

「李斯在父皇面前說話的力量還不如你，當然另有別人，」幼公主嘆口氣說：「其實像趙高這種人死一百個也不嫌多，你知道嗎？據宮中有人告訴我，那天洩密給李斯的人就是趙高本人，他和李斯本來就是狼狽爲奸的老搭檔，朝裏宮中，互通聲氣，一下害死這麼多人！」

「死無對證，主上既然不願追究，我也不願爲此興大獄。」蒙毅也嘆了口氣。

正說話間，只見公子胡亥帶着兩個老婦人來了，其中一個更是一邊走一邊嚎啕大哭。

「這兩個老婦人是誰？」蒙毅大爲吃驚：「竟敢在宮中哭鬧，而且沒有人管！」

「這兩個人你不熟，可是後宮的人都怕她們，來頭可比你要大多了。」幼公主笑着說。

「那會是誰？」

「跟在胡亥後面的是父皇的奶娘，披頭散髮、哭着撒潑的是趙高的老娘，她可也是自小抱着父皇的。」幼公主臉上浮起頑皮的微笑。

「難怪妳要藉口將我拉出來。」蒙毅恍然大悟。

「你留在那裏，父皇和你都會很尷尬，」公主忽然又正色的說：「你到底想不想救趙高？想救的話，你在外面待一會，讓我助他老娘一臂之力；不想救，我們就到上苑去賞花。沒有騙你，我的確有幾株不知名的異種花開了。」

蒙毅站在原地，沉默不語。

幼公主嘆了口氣說：

「明知道是毒蛇，可是沒犯着你，就不忍心打死牠，你存心太仁厚，怎麼當廷尉！你在這裏等一會，我進去看看。」

12

幼公主進得南書房，就看到一幕感人的場面。

始皇坐在書案，神色不安，口中連連喊着：

「趙媽，奶娘，並不是朕不通融，而是趙高犯了國法，理當治罪。」

奶娘則跪在一旁，口中喃喃有詞：

「陛下，就念在趙高小的時候，樣樣讓着你，事事都護著你，就饒了他這一次吧！」

趙高的老娘則是一言不發，只顧磕頭，額頭鮮血涔涔而下。

始皇瞪了胡亥一眼，意思是怪他不該找這個麻煩。胡亥低下頭，裝着看不見。

始皇看到幼公主進來，像是見到救星一樣，連忙問她說：

「蒙毅呢？朕和他還有重要公務要談。」

幼公主行禮說：

「他正在幫兒臣鑑別幾株花，恐怕還得待一會才會來。」接着她又裝得不認識這兩個老婦人的樣子，站到胡亥身旁，細聲的問胡亥說：「小哥，這是怎麼回事？」

胡亥只望了望始皇，沒有答話。

「哦，妳還沒見過？這一位是朕的奶娘，另一位是趙高的母親，現都居住在長安，她們是爲了趙高的事求情。」始皇淡然的說。

「哦，這位大娘好可憐，額頭流血流成這個樣子，還要叩頭，痛不痛啊？」幼公主裝出和她年齡相稱的天眞嬌憨，再偷偷看始皇一眼，看到始皇臉上已出現不耐的神色。她熟知始皇的脾氣，這表示他開始有了反應。

果然，始皇向侍立在兩旁的近侍說：

「去上苑把蒙廷尉找來，另外將這兩位大娘請出宮去！」

近侍一聲「遵命！」，就要執行，幼公主制止他們，一面向始皇說：

「啓奏父皇，蒙大哥現在弄得滿身是泥，儀容不整，如何來見父皇？等他整理好，他自會回來。至於這兩位大娘，就交給兒臣處理吧！也許比較方便些。」

始皇看到她肯接這兩個燙手山芋，當然高興的准了，同時他也想看看，這個鬼靈精的女孩，如何處理這個連他都感到棘手的問題。

奶娘一聽始皇要趕她們出宮，傷心得大哭起來，緊皺着佈滿皺紋的眉頭，也跟着磕起頭來，嘴裏還嚷着始皇的小名：

「趙哥兒，你不能這樣，求求你，千萬不能殺趙高，他可是陪你從小玩到大，一直在伺候你的人，他對你始終是忠心耿耿的。再說，他父親替先王死了，只留下這半條根！趙哥兒，你就行行好吧！」

趙高的老娘聽到她的話，更是悲從中來，放聲痛哭，頭磕得更勤了，鮮紅的血跡染在白色的羊毛地毯上，顯得恐怖嚇人。

侍立一旁的近侍都垂下頭閉上眼睛，不忍再看。

胡亥也隨着跪了下來，可是他知道始皇的脾氣，不敢說任何話。

兩顆滿是白髮的頭越磕越快，一起一伏，就像兩道白色浪花，兩個老婦人的哭聲越來越大，越來越淒厲，還加上奶娘的大聲哭喊：

「趙哥兒，行行好，趙哥兒，行行好！」

始皇眉頭緊皺，額頭中間那根青筋直跳，似乎已忍耐不住，就要大發雷霆。

幼公主卻明白最後一擊的時刻到了，她走到兩位老婦人中間，一隻手拉一個，不讓她們再磕下去，她先向趙高的母親說：

「主上現在這樣大了，自有他的主張，再不是你抱著幫他把屎把尿的小時候那樣聽話了，再說趙高已被閹了，又不能傳宗接代，妳眞想不通，還要爲他守這麼多年的寡！」

聽到她這樣說，趙母更大聲哭號起來，像頭受傷的母狼。

接着她又轉向奶娘說：

「奶娘，妳這樣大的年紀了，還是這樣不懂事，妳自認爲主上樣樣都會聽妳的？現在主上可不需要再吃妳的奶，而且妳也已經沒有奶可以給他吃了！」

奶娘反而停止了哭，兩眼看着始皇，淚如泉湧。她哽咽着對始皇說：

「趙哥兒，早知道這樣，我絕對不會來，這多年來，我從來沒請託過你任何事，這次我只當是你和趙高的私事，他這樣做，也是爲你好，你們小時候還不是騙來騙去，想不到是犯國法的事，奶娘冒犯了你，教你爲難！」說完話她又跪下叩頭。

「不要說了！不要說了！」始皇突然暴怒，兩手一揮，書案上竹簡紛紛落地。

他站起向幼公主大吼：

「妳去告訴蒙毅，他想怎麼辦就怎麼辦！不要有人再來煩朕就好！」

「好了，沒事了！」幼公主安慰兩位不知所措的老婦說：「現在走，正是時候。」

幼公主心細，她看到始皇的眼睛竟也濕潤。

第23章

大興土木

1

蒙毅將「裝神弄鬼」案審理終結，趙高削去官爵，廢爲庶人，依舊在宮中服務。其餘研究小組成員，年輕者謫邊服勞，年老不堪服役者解回原籍，限制居住，交地方官看管。蒙毅對自己辦理這件案子深感滿意，首犯趙高既然都不死，其他從犯——其中很多是不知情的人——當然也不該死。

但這項判決卻產生了莫大的後遺症，這些儒生術士無論服勞役或是回原籍，全都成爲反始皇的有力宣傳者。

皇后已死，神仙夢又破碎，南方任囂、北方蒙恬都做得很好，雖然黔首辛苦一點，但發配築長城的都是些罪犯，省得監獄人滿爲患，這是好事。

只是國事清簡，始皇意志消沉，兩者加起來使得始皇動輒發怒，專事挑剔大臣宮人毛病，朝中後宮人人自危。

丞相李斯明白這種情形全是因他而起，始皇的神仙夢不醒，就沒有這許多麻煩。

趙高雖廢爲庶人，留在宮中辦事，但始皇對他的寵幸並沒有稍減，依然掌握宮中大權，連代理郎中令凡事都要請示他，他仍是實質上的郎中令，所以他們照樣往還密切。

那天，巴蜀冶鑄大王程鄭到丞相府拜會李斯，趙高正好也在座。

程鄭本爲齊人，以冶鑄爲業，發了大財。他的眼光看得遠，早就投資在巴蜀的礦產和井鹽上，等到秦滅齊國，遷移舊時貴族和富豪到各地，他自願選擇了最偏遠的巴蜀。他利用巴蜀的礦產冶鑄，治好的成品遠銷南越，再用極賤的價錢買回當地產品，利用在該地的土著運輸，一來一回的販賤賣貴，運用便宜勞力，沒幾年就成巨富，人稱冶鑄大王。

他富至家僕千人，田池射獵之樂，有如君王。

這時，秦法原實施的山林礦產國有政策，因官僚辦事效率不佳，官商勾結嚴重，國家收益減少，有意改採承租制，將某處的國有山林礦產租給申請的人，然後每年視產量之多寡制定租金。

程鄭這次來，就是想和李斯談承租巴蜀銅鐵礦和井鹽的事。

當他進門行賓主之禮完後，看到李斯和趙高悶悶不樂，忍不住問道：

「兩位大人是不是不歡迎小人來見？」

「哪有這回事！」李斯連忙言道：「我剛才正和趙高兄談到主上近來心情不好，眾人都感到憂慮的事。」

接着李斯將前因後果都講了，當然中間省略掉他和趙高的事。

程鄭聽了以後，略一沉吟，隨即哈哈笑着說：

「主上這是國無大事，小事嫌煩，閑得無聊。別的君王在這種情形下，就會尋求聲色之歡作消遣，但主上聖明，不屑此道，空閑之餘當然會找你們的麻煩了！」

「鄭先生說得對極了，」趙高在一旁說：「但是要找點什麼事讓主上去忙呢？」

「這個並不難，」程鄭胸有成竹的說：「築長城，掘靈渠雖然是大工程，但不是主上親手經理其事，所以他不會有太多的事好做，因此也就不會有強烈的成就感。我們要找件大工程，讓他自設計到完成都親身參與。他整天有事忙不完，而且有成就的喜悅，當然就不會再遇事挑剔，專找你們的麻煩了。」

「不愧是冶鑄大王！」李斯豎起大拇指來稱讚：「但找什麼事能讓他親自從頭到尾參與呢？」

「我倒想到有一件事可做！」趙高拍拍大腿高興的說：「前些日子，主上在咸陽宮亭上眺望咸陽全景，曾感嘆了一句——咸陽自遷來天下十二萬戶豪富之眾後，人口急速加多，範圍也擴展得很快，相形之下咸陽宮就顯得小，而氣魄規模就不夠雄偉了。」

「對，就從這上面着手！」李斯擊案說：「還有驪山陵墓，主上即位就開始修築，後來因爲中隱老人一句話就停止了，現在主上人已中年，而且是神仙夢碎，應該會考慮到身後事了，重新治理驪山陵墓，他應該會感興趣。」

「不過，」趙高搖搖頭說：「主上一直忌諱言死，這件事如何向他提？」

「這只是細節問題，應該不難解決。」程鄭說：「李大人和趙大人的兩個構想極好，能夠儘快進行的話，連小人都能沾點光。」

「程先生此話作何解釋？」李斯驚詫的問。

「建築宮殿陵墓所需木材及鋼鐵器具太多，當然會給我很多賺錢機會，不過還待兩位大人玉成。」

「玉成是沒有問題，」趙高轉動兩隻鼠眼作鷺鷥笑：「對李大人和在下有什麼好處？」

「當然小人會有所奉獻。」說完話，程鄭哈哈大笑，他的大臉小眼睛瞇成一團，有如懷胎七、八月的大肚子也不停顫動：「只要事成，大家都有好處，口說無憑，小人會擬訂一份契約讓兩位大人過目。」

他閉上細目想了想，忽然又極力睜大說：

「兩位大人還有一個發財機會！」

聽到「發財」，李斯故作清高，做出一副不屑的樣子；趙高豎耳而聽，但也不便表示什麼。

「小人知道，李大人位極人臣，當然不恥談身外之物，但兩位大人要知道，自秦改制，再大功勞只封侯而不裂土，只有俸祿而沒有食邑，一旦退位，本身衣食都成問題，別談留給子孫了。所以最可靠的還是良田美宅和錢財，只要你不犯法，永遠都是你的。爵位俸祿甚至是食邑，君王予取予奪，轉眼間就可化爲烏有，錢財只要守好，不會無翅而飛。小人淺見，還望兩位大人三思。」

趙高聽他這樣說，再也裝不下去，首先問道：

「鄭先生有什麼大富我們之道？」

「目前咸陽嫌大，一旦新宮殿蓋成，咸陽反而就會嫌小，一定會再擴大規模，現時的荒地，將來會比黃金還貴，而且城市計劃全掌在李大人手中，販賤賣貴，就看兩個大人如何做法了！」

李斯沉默，趙高哈哈大笑，程鄭來回打量兩人，臉上浮起會心的微笑。

2

在李斯和趙高的極力推薦下，始皇答應接見程鄭，並當面聽取他的咸陽宮及驪山陵墓修建計劃。

按秦法，重農輕商，商人再富，不得穿絲履，生意失敗欠錢，本人及妻妾子女都有收爲官奴的可能。

但自天下統一後，文字、度量衡都有了一定標準，關卡減少，關稅及苛捐雜稅簡化，道路的修建加速了運輸效率，在在都有利於通商貿易，於是因商而致富的人增多，再加上商人兼併土地，與官僚勾結，無形中商人的勢力遍植於官方和民間。

始皇雖保有君王「輕商重農」的傳統觀念，但對有特殊成就的卻不能不優容禮遇。譬如有一巴蜀寡婦名「清」者，祖先開到了丹礦，代代專利致富，而巴寡婦能守祖業，用自己的錢組織家丁自衛，不受外人欺侮，始皇曾予召見，並在她故鄉永安縣為她築「女懷清台」以示表揚，將山名都改為清台山。

他接見程鄭自不能算意外或空前行動，他想親自聽聽程鄭擴建咸陽宮及陵墓的意見。因此，他命趙高在議事殿朝議室準備接見程鄭事宜。

誰知道當天他駕臨朝議室時，意外的發現到，他不但能親耳聽到程鄭的計劃，而且還能親自看到。

程鄭是有備而來。他聘請了齊國最著名的大匠（工程師）田齊，動用了數百工匠，在短短數天內製好兩座精巧且唯妙唯肖的模型，舉凡內外及細部結構，莫不按照正確的比例縮小。

田齊是已故巧匠大師公輸班的再傳弟子，帶了數十名弟子應聘前來。

程鄭首先要田齊介紹咸陽宮殿。

按照田齊的設計，是計劃將渭水南邊的上林苑整個和咸陽宮連接起來。

「這樣大的工程當然得分段完成，」田齊用一根玉頭金杖指着模型說：「第一期工程是在上林苑中建朝宮，也就是百官朝覲皇帝、奏議軍國大事的宮殿。」

田齊又說：

「第一階段是先興建前殿，按照臣的設計，這座前殿東西寬五百步（每步六尺），南北深五十丈，殿上可坐萬人，殿下平台可豎立五丈高的旗桿。第二階段是以此殿爲中心，周圍修築閣道，自殿下直抵南山，在南山頂上建築宮闕，然後再築複線道路，自前殿向北渡過渭水，和舊有的咸陽宮相接。」

「這座前殿想好名字沒有？」坐在正中席位上的始皇問。

「臣怎敢僭越！」田齊躬身爲禮：「還有待陛下命名。」

「沒有名字，解說起來甚不方便，」始皇沉吟着說：「由於它是附着於咸陽舊宮，就暫時稱爲『阿房宮』好了，待宮成後另行命名。」

「臣遵命，」田齊躬身繼續解說：「第三階段則是以阿房宮爲中心，周圍兩百里內建行宮兩百餘座，以前六國及匈奴、西域各國宮殿作爲建築外形，內部裝飾佈置也同，甚至最好裏面的妃姬宮女也以該地人立之，這樣可以象徵出陛下爲天下之主。」

「不錯，眞是不愧爲巧匠大師的再傳弟子！」始皇擊案大爲高興。

始皇起立，繞着模型走了一圈，東摸摸，西看看，又問了一些問題，然後復座說：

「還有陵墓部份，繼續解說，用不着顧忌，讓朕親自參與營構身後安息之地，這應該是件樂事！」

李斯等人總算舒了一口氣。於是田齊又恭身爲禮，用金杖指着第二座模型說：

「陵墓工程也是分爲三個階段。第一階段是將驪山挖空，這個階段大致早已完成，但停工日久，積土重聚，很多排水設施已摧毀，還得再加修繕。」

「嗯。」始皇像是突然想起什麼，沒有說話而沉思起來。

李斯等人看他這種樣子，全都擔心起來，田齊也不敢再說下去。

過了很久，始皇才好像從夢中清醒似的對田齊說：

「說下去，朕在聽。」

「第二階段是在挖空處設置宮殿，」田齊以金杖指着模型的第二部份說：「臣經過實地勘察，發現地下有一道向北流的泉水，爲了保持陵內乾燥，必須用人工設障改道，使之向東西流。」

「宮殿內部的佈置如何？」始皇開始感興趣了。

「一如地上宮殿，應有盡有，除了宮中執事，另外還設有虎賁軍和衛卒，預計和眞人眞物一樣大小。」田齊恭敬的回答：「另外爲了防止有人闖入，分在各入口要衝處設置機括強弩，只要觸動機關，飛蝗箭就會自動發射，同時算好角度，任何人或野獸都逃避不過。」

「眞是巧思！眞是妙想！」始皇接連讚嘆。

「還有，臣在地下宮殿也設置具有前各國特色的陳列室，分別放置前六國的奇珍異寶。另在起居殿周圍以水銀作百川、江河和大海狀，利用階梯原理，使之流轉不息。另設置人造蒼穹，上置各個星座，日月運轉與眞天空無異；下則製作天下名城都邑及各山脈模型，排列位置一如實地，象徵爲天下之主所居。」

「朕不喜黑暗，墓內燈光該如何辦？」始皇心情放寬，竟說起調侃話來。

「哦，臣早想到這點，」田齊說：「陵內廣設長明燈，以人魚膏爲燃料，可以長久不熄。」

「人魚膏？朕倒從來沒聽說過！」始皇興趣更濃厚了。

「此魚出產在伊水，外形略似鮎魚，但生有四隻脚，身長一尺多，肉粗糙不能食用，其皮堅厚，可以鋸斷木頭，而用肉所熬成的膏，可以在封閉不通風處燃燒，而且持久。牠的頸子上有小孔用來呼吸，會叫，聲音像小兒哭啼，所以名爲人魚。」

「這種魚難捉嗎？」始皇問。

「不，伊水中甚多，因肉不能食，當地人也只捉來熬油點燈，只要出重金購買，來源應該不會短缺。」這是程鄭代田齊答覆的。

「而第三階段的浩大工程就是覆土，」田齊指着模型的完成形狀說：「原有除土用來覆蓋不夠，還要從別處運來，完成以後大致是這個樣子——高五十餘丈，周圍大約五里餘。」

「兩處工程要花費多少人力？」始皇問田齊也是自問。

「據估計，需要七十萬人，五年的時間。」田齊回答：「不過，最困難的是驪山附近多爲土山，好石料還得自遠處運來，而上等木料則要運自楚地及巴蜀。」

「好，讓朕和大臣們商量後再說。工程太過浩大！」始皇又陷入沉思。

因爲，他忽然想起中隱老人和皇后的話來。

3

始皇在朝議室召開興建阿房宮及驪山陵墓會議，參加者有左、右丞相李斯、馮去疾，廷尉蒙毅，趙高、程鄭、田齊及掌管山林及稅收的少府等有關人員。

始皇首先提示說：

「興建宮殿及陵墓，實際上有其需要，但想到費用浩大，所需人力眾多，朕也有所委決下不。希望各位卿家盡量發表看法。」

左丞相李斯第一個發言：

「古人說人有三不朽：立德、立功和立言。今陛下統一宇內，永息戰爭之禍，德過三皇五帝，乃是立前人所不能之德；平定海內，放逐蠻夷，建萬世之功，是謂立自古以來空前未有的大功；陛下改訂法制，與民便利，更是立前人所未曾立過之言。陛下兼具大德大功及大言三不朽，宮殿及陵墓也必須與此相配，故臣認爲非興建不可。」

其次是右丞相馮去疾說話，表示反對：

「陛下所立的德、功、言既已能永傳後世，何必要再勞民傷財，多此一舉？何況堯舜屋樑都用原木，連樹皮都不刮掉，屋頂蓋的茅草都不修剪，黔首到如今還歌頌德行不止。禹王治水，三過家門而不入，親自操作鍬杵，將膝蓋小腿上的毛都磨光，直到如今家家戶戶都仍在感懷他的治水之功。孔丘生前不得意，但著《春秋》，亂臣賊子聞之膽寒，傳誦到如今不衰。可見立德、立功、立言必須有益於世，方可傳之不朽。陛下之功、德、言都已遠超過三皇五帝，不必再用美宮高陵來彰顯。何況，目前正在修建萬里長城，拒擋千百年來的胡人之禍，修成之後自會永傳萬世，足夠表徵陛下之功德。」

「不然，」趙高接着表示異議：「陛下日夜爲黔首憂心操勞，興建宮殿也只不過表示天下黔首對陛下一點感恩。至於陵寢，陛下爲開天闢地以來第一個始皇帝，當然應該與衆不同，以天下之大，大秦國勢之盛，興建一座較大陵寢，算不得是勞民傷財！」

接著輪到廷尉蒙毅發表意見，他憂形於色的說：

「北方築長城，所需人力甚多，南北兩方要移民實邊，更要有大量的黔首遷移。但中原人一直安土重遷，所以築長城也好，移民實邊也好，目前全靠利用流謫人犯。最近地方紛紛上報，流放人口已不足，現必須分配黔首服徭役來充數，假若再用大量人力來興建宮殿和陵墓，天下初定，黔首尚未安定，恐怕會引發民怨，望陛下三思！」

始皇看了看蒙毅，臉上微露不滿，看在李斯等人眼中，更堅定了他們極力主張興建的決心。本來想提財政困難的少府等官員，再也不敢表示反對。

程鄭這時俯首行禮向始皇說：

「小人本來沒有資格在朝議中說話，但承蒙陛下恩寵，特別命小人與會，小人不敢不說出心中肺腑之言。」

說到這裏，他停下來察看始皇的臉色，只見始皇點頭微笑，他才又繼續說下去：

「小人以在商言商的觀點來看，興建這兩項大工程不但不是勞民傷財，而是創造了更多的就業機會。自從統一戰爭結束，各國君主貴族逃亡的逃亡，當俘虜的當俘虜，昔日繁華景象不再，而眾多的工藝巧匠，不會耕種，又力不能負重，紛紛失業，變成名邑大都的流民。興建這兩項工程不但能使這些工藝巧匠得到工作，無形中也減少了作奸犯科，間接也促進經濟繁榮。」

「程先生妙論，眞是朕前所未聞，可見看事情不能食古不化，專從一個觀點去看！」始皇哈哈大笑，大有「深得吾心」的表情。

接下去你來我往，贊成與不贊成的兩派唇槍舌劍，紛紛引經據典或根據目前狀況彼此辯駁。

最後還是始皇下了結論——

阿房宮和驪山工程同時按田齊的設計立即動工。

除工藝巧匠外，所有粗活苦工調各地方七十萬犯人充任。

4

阿房宮和驪山工程同時進行得如火如荼。

最早的工程是平地基、除土，並修築往北山採石及蜀、楚伐木的產業道路。

咸陽突然增加了七十萬勞改犯，景觀爲之大爲改變，運石挖土，裝載木頭，新解來的勞改犯絡繹於途。

地方上先還是送來重刑犯，後來重刑犯不夠，改用輕刑犯，最後輕刑犯也不夠，只得徵集未犯法的普通百姓服徭役，這造成了地方官吏藉機發財的好機會。他們超額徵集，有錢人就出錢買脫，沒有的人就只好上路。徵集的都是負擔主要家計的青壯男子，走了以後，一家人生活立即成了問題。

再說，兩處工程始終要保持七十萬人，但途中脫逃的和因營養不良、旅途勞累而病死的更多，十個人當中能眞正送到施工處的，不到六、七人。

到了施工處，生活條件惡劣，營養更差，工作緊張吃力，再加上管理人員的虐待，一個月下來又會病死很多人。

蜀地楚地多山林大澤，再怎樣防範，每天都有大批逃亡的人。派出一千人，眞正運木料回來的，有時還不到五百人。

於是又向地方要更多的勞改犯，地方又徵集更多的善良普通百姓，造成更多的家庭破碎，陷於饑寒困境。

再加上李斯和趙高的主意，爲了表示天下黔首對始皇帝的愛戴和擁護，兩處工程的經費全由鹽稅中捐出，鹽稅增加，向官方承包鹽買賣的鹽商借此機會高抬鹽價，弄得很多窮人都吃不起鹽，大罵嬴政荒唐。

因「裝神弄鬼」案而遣返回鄉的儒生和術士，本就怨恨在心，有了這個機會，他們更是對始皇爲了一己之私，弄得天下不安的行動大肆攻擊，而這次的攻擊言論，更能得到百姓的共鳴。

但始皇不知道這些。在他的想法，這些做工的人都是犯法的人，他是給他們機會改過自新。

每逢他去視察工地，看到的都是眾人在辛勤工作，工地一片振奮氣象，他所過處全是「萬歲」的呼聲。

有時還會有勞改犯代表上來獻書，感謝偉大的始皇帝給他們勞改的工作，讓他們有贖罪自新的機會。

這時，他會向跟在身後的李斯、趙高和蒙毅說：

「你們看，這些雖然都是些犯罪的人，但他們多愛戴朕，願意爲朕效勞。」

趙高現在是工程總監，主管兩處工程的進行。

他從不帶始皇去看勞改犯的營地，始皇看不到這些人每頓吃的是兩個黑硬得像石頭的雜糧粗糖，喝一碗清得像水的鹹菜湯。

這些人住的是土洞，幾十個人睡在一長排的草堆上，蓋的是髒得發黑、又臭又硬的破棉被，上面佈滿了吸血的虱子——牠們不但吸這些可憐蟲的血，而且還讓他們睡不著覺，明天得拖著睡眠不足的身子去做苦工。

程鄭的眼光果然很準，阿房宮一動工，咸陽附近的土地立刻節節上升，他出資金，李斯和趙高出權力，很快就收購了城郊所有的土地，然後小塊小塊的賣出去，三個人轉手之間就得到別人幾十輩子都賺不到的財富。

這些事始皇都不知道，他始終被蒙在鼓裡，直到有一天，楚地傳來勞改犯暴動的消息。

據報告，暴動乃是由昔日楚國名將項燕之子項梁和一個大盜黥布帶頭，他們殺了押解的兵卒，數千勞改犯一哄而散。

5

項梁自從昌平一戰，楚國敗亡後，他護送亡父項燕的靈柩回到下相老家，將父親埋葬後就隱居起來，一心一意教導他二哥項仲所留下的遺腹子項羽。

等到始皇帝三十五年，項羽已是十八歲，已完成將門之後的各種教育。項梁一直懷著復國之志，因此帶著項羽渡過淮水來到中原之地，目的是要實地對項羽進行兵要地形教育。

項羽如今已身高八尺有餘，天生神力，能夠舉鼎，可是不喜讀書，對劍術也沒多大興趣，卻喜閱讀兵法，一心要學萬人敵之術。

他雖然臉上稚氣猶在，可是已滿臉虬髯，虎背熊腰，尤其那對環眼天生異相，竟是雙瞳仁。他中氣十足，說起話來就像打雷一樣，他一怒吼，膽小的人都會嚇得半死。

可是當他們叔姪來到大梁住在客店後，因爲缺少身份證明文件，就這樣胡里胡塗被當作無業遊民送到驪山勞改。

到達驪山營地，項梁第一個感覺就是：「好多的人！」

將近三十萬的勞改犯，集中住在這個方圓十多里的地區，人密集得就像螞蟻。他們掘洞爲居，黃土坡邊到處都有這些「人蟻」的蹤跡。

他們和工蟻一樣，生命中除了做苦工以外，沒有其他目的。

在這裡的人又分成幾類，可以由衣服和住處分辨出來。

穿戴黑盔黑甲的是防護軍，他們負責這個地區的安全，防止勞改犯逃亡，鎭壓可能發生的暴動。

大約有一萬多防護軍在地區外圍形成包圍圈。他們設置路障，劃定勞改犯的活動範圍，超出範圍就視爲逃亡，格殺勿論。

他們住在平原和山頂的黑色帳篷裡，在勞改犯的眼中，他們都是毒蛇，一堆堆的帳篷就是蛇窩。

穿黃色短裝、手執皮鞭腰跨佩刀的是監工人員，他們中間也分成好幾個不同階級，按衣袖上的黑線多少來區分。

他們住在山邊臨時搭成的木屋，按照階級，有數人住一間，也有一人住數間的。

他們的職責是督工，依勤惰考核勞工，按職權給予賞罰或呈報上級，但多半時間是在用鞭子打人，或是辱罵咆哮。

穿藍色衣服的是工匠，他們都是來自各地的工藝名匠，或精土木，或精冶金，或通機關之學，或有其他一技之長。其中有用重金禮聘而來，亦有的是勞改犯身份。

他們住在陵墓內尚未完工的宮殿裡，吃的用的都較好些。

穿赭衣藍色背心短裝的是一般勞工，他們是良家子弟被徵集服徭役而來，做的是挖土覆土，或是運糧、種菜、送飯等較輕鬆的工作。

他們住在山麓的茅屋中，和勞改犯隔得很遠，行動較自由，可以在住宿區活動。

最後也是最多的一種是勞改犯，在驪山約有三十萬，他們穿的是赭色短裝，頭髮被剪短，一眼就看得出來。

最粗重、最危險的工作都是由他們擔任。

他們分組住在黃土洞裡，碰到雨季，泥土鬆動，一個洞裡幾十個人被活埋乃是常事。

這些勞改犯按軍事編制，十人為一伍，設伍長，十伍為一卒，設卒長，十卒為一旅，設旅長，以上各長全由勞改犯自行選出。十旅為一師，設校尉，五師為一軍，設都尉，整個勞改營分為六軍，設工地總監，以上人員由官方派出，並各設有本部，有固定人員編制。

項梁叔姪和其他十幾個新由大梁押來的人，被編在同一卒裡。

他們一路上結交了三個朋友——

第一個是黥布，六縣人，廿多歲，五短身材，眉清目秀，瘦削的臉上充滿精悍。

少年時曾有術者為他看相，說他「當先受刑而後為王」。這次他犯了強盜殺人罪，在臉上刺字發配驪山服勞役。他常對項梁取笑說：「相者前半段話應驗了，後半段不知怎樣？」他原名京布，為了這次受黥刑改名為黥布。

第二個是魏豹，前魏國宗室，長兄魏咎曾受封為寧陵君。秦滅魏後，魏家抄籍為奴，魏豹兄弟也變成了秦功臣家奴，魏豹不服，多所怨言和反抗，受罰，發往驪山服勞役。

他長得一表人材，隆準星眼，面如冠玉，但自小嬌生慣養，身體柔弱，經過長途跋涉後，更是虛弱不堪，凡事全靠項梁和黥布照顧。

第三個是彭越，昌邑人，本是漁夫，難以維生，乾脆就在江上當起土匪來。這次被捕原判死刑，縣令見他年輕，身體魁梧，相貌堂堂，捨不得殺，改判發配驪山服役。

項梁叔姪和他們意氣相投，很快就結成莫逆之交，相約未來天下有事，五人同心合力做出一番事業來。

6

報到的當晚，項梁就體會到什麼是生不如死的滋味。

他們兩卒兩百人睡在一個窖洞裡，分成兩個通鋪，中間只留下一條通道，勉強讓一個人通過。

兩個人合蓋一床破棉絮，棉花擠成一團不說，且黑硬得有如石頭，不知有多少人蓋過，上面各種氣味都有，體臭、汗臭、腳臭，還帶著血腥味。

據說，有些勞改犯受不了這裡的精神肉體雙重虐待，用破碗割喉自殺，血濺得整個棉絮都是。當時就用這床棉絮包著遍身是血的屍體丟在坑裡埋了，棉絮卻又拿回來給新補充的人蓋。

項梁叔姪兩人合蓋的這床棉絮血腥味猶濃，項羽不斷嘀咕，聞味道是剛包了死人不久。就在他倦極朦朧要睡時，棉絮上的虱子和鋪草下面的跳蚤一起出動，爬得滿身都是，左抓右癢，根本就睡不著。項羽向項梁咕噥說：

「這麼多的蟲子咬，怎麼睡？」

「忍著點，不要心浮氣躁，一下就睡著了，你聽聽看，別人不都睡得很好？」項梁只得這樣小聲安慰他。

項羽注意一聽，寢室內果然是鼾聲此起彼落，還有不少人說夢話，其中竟還有人吃吃在笑，不知道正做著什麼好夢。

項羽好不容易倦意壓住了癢意迷糊了一下，只聽到屋外鑼聲大起，看看洞外，天還沒有大亮。

「起床！起床！」有人在洞裡喊。

洞外有人挑了兩桶冷水來，也跟著喊：

「洗臉水來了！」

於是眾人一窩蜂的向水桶擠去，拿出算是面巾的破布往水桶裡浸水。有的前面的人破布還未碰到水，就被後面的人一把拉開，還有更後面的人開罵：

「這麼多人一桶水，你怎麼一個人霸住不放。」

沾點水，擦擦臉，將破梳子在頭上劃兩下，也表示梳洗已畢，接著是早餐。

幾個炊事站在桌案前，桌案上放有幾桶雜糧糊，眾人拿著破碗，挨著次序每人裝上一碗，裝到的人就蹲在地上呼嚕呼嚕的喝起來。

有的人還未喝完，那邊鑼聲又響了，值日伍長吆喝著：

「站隊點卯！」

於是大家將破碗收進袋子，排隊點名。這裡的人都沒有名字，只有一個編號，而且這個編號永遠存在，擁有這個編號的人無論是逃亡、自殺或病死，都會有新人頂替。

在點卯的時候，騎著馬、執著皮鞭的監工人員就到了。

「快點！快點！不要誤了開工時間！」他們毫無目標的吆喝，皮鞭隨之而下，誰倒楣誰就挨上。

項梁這個卒的工作是吊運石塊。驪山不產石頭，要從北山運來，運到工地鑿成形，再由項梁等人將石塊吊放在建築物上。

這是極為消耗體力的工作。他們運用一種田齊新發明的名為軸轤的機械，一頭以網袋裝石塊，一頭用人力或是馬拖拉，將石塊升高放上建築物。

項梁等人一個上午工作下來，手和肩膀都爲粗糙的繩索磨破了皮，再碰到繩索就如刀割似的痛。

身體上的傷痛猶可忍受，最不能忍受的是監工人員的辱罵和不問理由的鞭打。也許他們也是有一肚子怨氣無處發洩，就發洩在比他們可憐十倍的勞改犯身上。

他們以辱罵和鞭打勞改犯來洩恨，甚至是取樂。

項梁等人身強力壯，又是自小練武，只是不習慣做粗活，基本上身體還支持得住。但當他們看到很多尚未成年的孩子及白髮蒼蒼行動困難的老人，也做這種苦力工作，項梁忍不住心酸。

他注意到一位瘦削的老人，佝僂著身子跟另外十多個人抬一根大木頭，幾個年輕人偷懶鬆肩，後半截木頭的重量全壓在他身上。

他承受不了倒地，整根木頭滑落壓在他身上，他叫喊呻吟，卻換來聞聲而來的監工人員一陣鞭打。

「快點起來，別賴在地上裝死！」監工怒喝著。

項梁實在看不慣，丟掉手上的工作，以自己的身子護住老人，忍著痛代挨雨點似的皮鞭。

項羽也跟著跑過去，一把就將木頭這端抱起，有人將老人從木頭下拖出來。

「這小子好大的力氣！」旁觀的眾人忍不住喝采。

這名監工也驚奇得停下鞭子。

項梁彎下腰去檢視老者的傷勢，只見他面如金紙，嘴邊溢著鮮血，瘦嶙嶙的胸部上肋骨已斷了好幾根。

「謝謝你。」他只呻吟了一聲，頭一偏就斷了氣。

這老者相貌堂堂，留著三綹清鬚，看上去像是亡國公子或者士大夫之流，項梁不禁想起自殺殉國的父親。

就在他發呆的時候，監工人員的鞭子又落在他身上，像狼嗥一樣罵著：

「×娘賊，好管閑事，自己的工作放著不做！」

項梁尚能忍受，項羽火爆的性子卻已發作。他一手纏住鞭子奪過來，橫頭豎臉的鞭打得這名監工哀哀叫。

「好啊！打得好！」有人大叫：「這小子打得好，大快人心！」

「今天算是出了口氣！」也有人如此喊。

「唉，這傻小子膽大包天，等下有罪受了！」有人為他擔心。

「打啊！打啊！大家快來看啦，有人打監工，今天算是大開了眼界！」更多的人向四處喊。

勞改犯紛紛丟下手上的工作，圍攏看這項前所未有的奇觀，大夥鼓掌喊好，一下子就圍了好幾千人。

其他監工人員也紛紛騎馬趕到，但看到群情激昂怕引起暴動，不敢阻止。

「趕快調軍隊來！」騎在馬上不敢衝進人堆的大監工說。

「誰要是調軍隊來，大夥今天拼了！」聽到這句話的人都鼓噪起來。

眾人也跟著起鬨，大監工一時束手無策。

這時候項梁已奪下項羽手上的鞭子，自己好言的對監工道歉。

一會只見千馬奔騰，戟光戈影，鎮壓的軍隊到了。勞改犯剛才嘴硬，一看眞刀眞槍來了，大家急忙散去，又回到各人的工作崗位上，只剩下怒氣未歇的項羽和還在忙著道歉的項梁留在原地。

監工們看到大監工在場，倒也不敢亂來，只是七嘴八舌的向大監工報告剛才的經過。

那個惹出事端的監工反而呆在一旁說不出話。

「你處理事情根本不對，爲什麼不先救受傷的人？」大監工罵那個監工說：「不問青紅皂白反而打他？」

「到底是大監工明理。」附近的勞改犯紛紛議論。

「但是此風不可長，這個小子先押回師部。」

在軍隊包圍監視下，項羽被五花大綁起來押走。

7

炎熱的秋陽下，一群衣衫襤褸的勞改犯走在崎嶇的山路上，他們有的牽著馬拉的平板車，有的徒步而行。一個個形容憔悴，步履艱難。

但騎在馬上的押護兵卒卻並不放過他們，對走不動落後的人，不是大聲叱喝就是用鞭子抽，要他們加快腳步趕上去。

驪山陵墓需要上好的木料，咸陽附近山上出產的木料都不能用，一定要產自巴蜀和楚地的。

產地有專人專管在冬季伐木，到了春季雪山溶化，順著溪水流入河流，紮成木排由江水（長江）而下，再溯漢水而上，到漢水盡頭改從陸路運到驪山。這段陸路雖然經過整修加寬，但仍要翻山越嶺，通過重重山溝。

這些負責運木料的勞改犯，乃是以旅，也就是一千人為單位。這項工作算是驪山勞役中最苦的一種，不但要負重搬運，而且要長途跋涉。

項梁叔姪和黥布、魏豹和彭越等五人也在這群人當中，他們共同負責一部雙馬拉的平車。

項羽上次出事，有關上級念他年輕不懂事，以及怕事件擴大，只將項羽狠狠的鞭打一頓，然後單獨監禁一個月，放出來轉撥木料搬運隊，而項梁等人則是自願申請的。

這些人在到達目的地以前，要經過好幾天的翻山涉水。到了夜晚宿營，爲了怕逃亡，有時會借用縣城都邑的大牢，小小的空間，硬是將一千人塞進去，往往腿都伸不直，更別說睡覺翻身了。但他們也得你靠我的背，我枕你的腿睡，因爲明天還有漫長的路要走。

他們比較喜歡的是宿在野外，運氣好的話，附近有條山溪或河流，可以在晚飯後痛痛快快的洗澡，雖然洗澡前後還要點名清查人數，夠麻煩的。

但是，在野外宿營有樣最痛苦的事——睡覺的時候，每伍十個人的手都要綑連在一起，翻身或小便都要讓全伍人知道，這也是防止逃跑的措施之一。

平常，押送的兵卒來回巡視，勞改犯之間幾乎沒有機會談知心話，只有晚飯後到天黑前這段時間，兵卒放鬆了警戒，准許他們在警戒圈內自由活動，這時候他們才可以聊聊天，唱唱歌什麼的。

那天晚飯後，項梁等五個人又聚在一起。彭越四周張望無人，衛兵也離得很遠，他長嘆一口氣說：

「難道我們就要長久如此下去？」

魏豹笑著說：

「不想這樣又有什麼辦法？只有過一天算一天了！」

彭越見項梁不作聲，盯著緊問了他一句：

「項兄意下如何？」

項梁沒作回答，項羽卻雷鳴似的搶著回答：

「這樣下去不累死也得氣死！我看乾脆找個機會走了算。」

「我又沒問你，」彭越說：「小孩子多什麼話！」

「你不是問項兄意下如何嗎？不問我是問誰？」項羽不服氣的說：「喊我『小孩子』？你只比我大幾歲。」

「項羽，跟長輩說話要規矩點。」項梁責備他說。

「怎麼樣，你季父如此說了，你再無話可說了吧？」彭越高興得哈哈大笑。

項梁正色的說：

「項梁有幾句肺腑之言想說，但未說之前，項某有一個請求。」

「是否要我們保守祕密？」魏豹自作聰明的問。

「雖不中亦不遠也，不過比這更進一步！」項梁略帶神祕的說，然後他看了一向沉默的黥布一眼。

「項兄有請求，先說出來聽聽。」黥布這才答話。

「多日相處，患難見眞情，我等意氣相投，何不結爲異姓兄弟，來日有事也可互相扶持。」

「固所願也，不敢請耳！」魏豹高興得掉起文來。

「說話不要文縐縐的，我聽不懂！」彭越卻不高興。

「我是說很願意，只是不敢先請求。」魏豹搖搖頭解釋。

「那當然好！」彭越又興奮的說：「不過我是個打漁的，而且還幹過土匪，只怕委屈了項兄這位名將之後。」

「什麼名將不名將，國破家亡，同是天涯淪落人！」項梁嘆了口長氣。

「你呢？」魏豹轉向黥布問。

「還是你的話，固所願也，不敢請耳！」黥布笑著回答。

「你們都結拜兄弟，那我算什麼？」項羽大叫，聲如虎吼。

魏豹連忙掩住他的嘴：

「你想將守衛喊來，是不是？」

「彭越、黥布，年紀比我大不少，喊他們叔叔不冤枉，你只比我大個三、四歲，憑什麼？」

項羽還是不服氣。

「看你平日聰明，這件事上怎麼這樣胡塗，結拜不能分兩批嗎？」項梁哂笑。

「兩批？」項羽會過意來，指著魏豹大笑：「我說吧，憑你也想當我的叔叔？痴心妄想，做白日夢！」

8

於是，他們撮土爲香，咬指和血爲盟，香燭和酒全都免了。項羽、彭越、黥布先行祝告天地，結爲生死異姓兄弟。接著項羽和魏豹也拜了八拜，義結金蘭。

在三人當中，項梁三十六歲，最長，成爲大哥。彭越三十二歲，居次，爲二哥。黥布二十八歲，最小，是三弟。

項羽和魏豹方面，項羽十八歲，而魏豹二十一歲，他只得心不甘情不願的喊他大哥，因爲在外表看來，長相威猛的項羽要比娃娃臉的魏豹大上許多。

「現在我們已經是兄弟了，大哥心裡有什麼話可以直言！」彭越性急，剛一結拜完就催促項梁。

「我想先問問兩位賢弟的看法。」項梁不急不緩的說。

「老彭打家劫舍，大魚大肉，吆喝別人慣了，到這裡來，吃雜糧喝涼水不說，光是每天聽別人呼來喝去就受不了，一直想跑，只是找不到機會，同時一個人也感到孤掌難鳴。如今日行山道，夜宿叢林，只要敢跑，轉眼就找不到人，再加上三人同心，眞是機會來了！」彭越是直腸子，一開口話就沒得完。

「三弟，你呢？」

「當然跟二哥想法一樣，在驪山這樣做一輩子也封不了王！」黥布念念不忘相者的話：「大哥，我們主要是想聽你的意見。」

「我的想法與你們稍微有點不同。」項梁停下來看他們兩人的表情。

「哦？」兩人同時問：「大哥有何想法？」

「我們不只是個人一走了之，而是要弄得這裡天翻地覆，讓天下人都知道嬴政的暴虐，爲自己一個小小的墳墓，勞民傷財，弄得天下人都不安！」項梁堅決的說。

「這不容易！」黥布搖搖頭說：「就憑我們三個人……」

「我們兩個算不算人？」項羽提出抗議。

「當然算，只不過是小孩，」黥布笑著說：「就算是五個人，要如何制服這一百多名衛卒，以及如何鼓動這一千多名勞改弟兄？二哥，你怎麼說？」

四個人八隻眼睛全注視著彭越，看得這個江洋大盜心裡發毛，有點不好意思起來，他拍拍他特大號的腦袋說：

「三弟的話很對，我們五個人的確是太少了點，」他抓抓頭皮又說：「大哥的話也不錯，弄他個天翻地覆，讓天下人都知道，要是能帶個百兒八十人走，操我的老行當，那更是再好不過了。」

「如今天下表面已定，其實內裡暗潮洶湧，」項梁侃侃而論：「嬴政嚴法苛刑，天下民眾有怨，此其一；伐北征南，大興土木，久戰之後民不得安，此其二；各國有志之士，蠢蠢欲動，正在各自培養民間勢力，此其三。有此三種徵候，最遲維持到嬴政死後，天下必亂，這是男子漢大丈夫建功復國的好機會！」

「大哥所言甚是，」黥布點頭：「所以我們必須早日脫離此地，為將來作打算，才會有一番作爲！」

「天下烏鴉一般黑，以前各國君主比嬴政也好不到哪裡去，復國後請他們的子孫再來稱孤道寡？」項羽敞著喉嚨插嘴說：「還不如讓我們自己來幹！」

「大姪子的話一點也不錯，我贊成！」彭越又拍了拍腦袋。

「現在談這些還言之過早，」黥布平靜的說：「目前要計劃的是如何逃離。」

「逃離的辦法，小兄已有了腹案，逃離以後到哪裡去，我倒想聽聽兩位賢弟的打算。」

「我當然是去幹我的老本行，漢水、江水和雲夢大澤地形我都很熟，而且還有很多老弟兄，大哥要不要跟我去？」

「三弟，你呢？」項粱又問黥布。

「我也是和二哥一樣，只不過是在陸上佔山為王，大哥你呢？不跟我們一起？」

「我們三人出身和性格都不一樣，聚在一起發揮不了力量，我適合在民間發展勢力，」項粱想了想說：「目前我的行蹤未定，不過將來有事可以到下相打聽，我和老家一定會有連絡。」接著他將下相的連絡地址告訴了他們。

「我呢？」魏豹在一旁忍不住問。

「同樣，你跟在我們身邊也不會起太大的作用，回你的老家魏國去，結合舊有勢力，伺機而動！」項粱激勵他。

「這一鬧事，嬴政必會通令天下追緝，我回老家，豈不是自投羅網？」魏豹愁眉苦臉的說。

「你不會藏好一點？」項羽插口說。

「不錯，人流浪在外，有如水面飄萍，別人一眼就會發現，回到老家有如魚歸大海，反而不會有人注意，只是開始時要多注意一點。」項梁笑著安慰他。

「大哥，你的逃離計劃呢？」黥布催促。

「你們附耳過來！」項梁向彭越等兩人招手。

兩人靠近項梁，三人就小聲密談起來。

「怎麼不讓我們參與？」項羽在一旁抗議。

「大人說話，小孩有耳無嘴！」彭越笑著說。

「不讓我們聽，我們是耳朵都沒有了！」項羽嘟起嘴巴。

9

在路上，在宿營，一股謠言像野火似的在這群可憐人中間傳開，弄得人心惶惶，時時不安。

這項謠言說，嬴政已經決定，爲了怕洩漏陵墓祕密，在陵墓造好以後，凡是參與建墓的人全部處死！

開始時人們都當這是笑話，三十萬人同時處死，這要多大的地方來埋？多少的人來執行？但傳言者的解答是——白起長平之戰一坑就是四十萬趙國降卒；嬴政一聲令下，就將屯留幾十萬人遷到臨洮；天下豪富遷到咸陽十二萬戶，算算有多人？各國宗室大臣、舊時貴族、富商巨賈、江湖遊俠，謫往北方築長城、南方實邊，謫配巴蜀的人，又何止百萬？

嬴政好大喜功，做慣了大手筆，坑個三十萬刑犯又算得了什麼？其實按照秦法，他們中間大部份的人都是該死的，讓他們多活幾年，在嬴政只不過是利用他們的剩餘價值，說不定他還認爲是對他們寬厚仁慈！

逐漸，逐漸，謠言越傳越眞，甚至如何執行，日期怎麼定都傳得活靈活現。說的人一多，不相信的人也不能不相信了。

於是所有的人口中不說，心中不得不自己作打算。

挨苦受氣只是爲了希望熬過這五年，回家當個良民重新來過，這樣一來，等於是執行前還要增加五年苦役，那不如現在死還痛快些。

情緒不佳，相互吵架打架，不聽衛卒指揮，甚至是挨罵還嘴的問題層出不窮。

押送這旅勞改犯的只有一卒衛卒，不過一百多人，再加上負責指揮工作的大監工一人，監工十多人，全部加起來不到一百三十人。

負責整個行動的大監工察覺到，這些反常情形的發生全歸諸一個主要原因——這項謠言。

經大監工和衛卒卒長及全體監工商議的結果，做成幾項決定——

一、本旅行進太快，和本隊距離太遠，一旦發生事故，得不到支援，同時也造成勞改犯太過疲勞，因而情緒不佳，即日起每日行程減少二十里，多增加休息次數及時間。

二、衛卒及監工改善管理態度，主動關懷勞改犯，並多與他們交談，一方面可減少勞改犯的反抗心理，一方面追查及解釋這項謠言。因爲既屬謠言就不能公開解釋，以免越描越黑，只能私下溝通。

三、全力追查謠言來源，任何人——包括勞改犯——查獲造謠者重賞，勞改犯舉報者調輕鬆工作，回驪山後報請上級減免勞役刑期。

這三項措施一經宣佈，謠言果然撲滅了，誰都不敢向誰先提起，怕遭檢舉，讓對方撿便宜立功。減免刑期，調任輕鬆工作，在他們來說是比天還大的喜事。

而衛卒和監工改善態度以及減少行進里程，兩者也收到相當好的效果，吵架打架和反抗的事件少了不少。

但這項謠言不再出現在每個人嘴上，卻在個別的心中醞釀發酵。

大監工怕上級指責，一直不敢將這種情形上報，只想縮短和本隊間的距離，有事能得到支援。

項梁將這一切都看在眼中。那天宿營晚飯後，他們五人照例聚在一起聊天。

彭越首先說：

「大哥，謠言的反應越來越淡，再等幾天，本隊跟上來，或者是到達了目的地，想行動就不容易了。」

項梁沉吟了一下問：

「你所接觸的那些人反應如何？」

「全都怨恨在心，只是誰都不敢再提。」彭越回答。

「你那邊呢？」項梁再問黥布。

「情形差不多。」黥布回答。

項梁轉身又向兩個小的說：

「你們再去找平時熟悉的那些年輕人說，隊伍所以行動減慢，乃是想等到本隊趕上來，就要清查謠言的事，到時候恐怕會嚴刑逼供，凡是說過這項傳言的都會遭到嚴懲，到時候不知會有多少人頭落地。」

「遵命。」兩個小的奉命找年齡相當的人聊天去了。

「明晚看情形。按計劃行動，你們多準備一下。」項梁說。

「我們知道，大哥。」兩人同時回答。

10

第二天傍晚，大隊在一處山神廟宿營，大監工和衛卒卒長以及眾監工宿在廟內，其餘衛卒輪班看守這些勞改犯。

項梁所屬這卒勞改犯正好分配在神廟前的廣場上，算是所有十卒當中宿營位置最舒服的。

散步時間剛完，各卒勞改犯紛紛回營地準備點名時，突然吵鬧聲大作，項梁叔姪、黥布、魏豹等四人共同制服彭越，用他的腰帶將他五花大綁起來。

他們所屬的勞改卒卒長走過來叱喝：

「看你們平日很要好，什麼大不了的事要打架？」

「啓稟卒長，這件事情你管不了，這個傢伙剛才跟我們胡說八道，我查到他就是專事造謠的人，我們要押他去見大監工大人領賞。」

勞改卒長一聽是這樣重大的事，也不敢再事阻攔，怕別人說他包庇，追查起來受不了，只有默默讓項梁他們走。

「總算是抓到你這個混帳東西了，造謠生事，害得人心不安。」爲了裝得逼眞及吸引群眾，項羽一面拳打彭越，還一面打雷似的吼叫。

一下子山神廟門前就圍滿了看熱鬧的人，勞改犯及沒有輪值的衛卒都有。

此時大監工、衛卒卒長及勞改旅旅長正在商談明天的行程，聽到外面嘈雜，派護衛出來查看，聽說是抓到了造謠犯，自是喜出望外，要廟門口衛兵立即帶進來。

項梁等人將五花大綁的彭越推拉到大監工席案前，將他往前一推，大聲喝道：

「見了大人還不下跪！」

彭越趁勢前撲，沒有下跪，卻雙臂一伸，五花大綁自鬆，他一手抱住大監工，一手抽出大監工腰間的佩劍，一劍就割下他的頭提在手中，一腳將屍體踢得老遠。

事出意外，衛卒卒長、勞改旅旅長以及兩名護衛一時反應不及，等到他們清醒想拔劍時，彭越已連殺兩名護衛，項梁和項羽搶過劍來，一個挾持一個，劍已放在旅長和卒長的頸子上，黥布和魏豹也奪過劍來。

廟門口的兩名衛兵只聽廂房乒乒乓乓，不知道發生了什麼事，未奉召又不敢過去察看。

他們心想，大監工一定是恨死了這個造謠的人，所以一見面不分青紅皂白先來一頓狠揍。

他們反而緊把住廟門，不讓任何人接近。

這時天色已晚，各卒各伍紛紛燒起火堆，準備過夜，而聚集在廟門口廣場的人也越來越多，大家都在等消息看結果。

屋子裡，項梁將劍架在衛卒卒長的頸子上說：

「傳令你的人，不准帶兵器到廣場集合！」

「你們跑不掉的！」卒長倒也是條硬漢。

「那要不要先殺掉你，讓我們自己來集合？」彭越的劍劃破他的上衣，劍光直逼心口。

「陳兄，事到如今，即使能制住他們，你也脫離不了關係，只有聽他們的。」勞改旅長在一旁勸解。

「旅長總算是識時務的俊傑，」項梁笑著說：「按軍律，遇事不能護衛長官而致死者斬，就算我們走不掉，你回去還活得了嗎，卒長大人？」

卒長一經點醒，臉色蒼白，立即找來衛兵，傳令全體兵卒徒手在廟前廣場集合，所有擔任警戒的也撤出參加。

「不要想玩什麼花樣！」項羽說，用劍抵著衛兵的後心。

他和魏豹一人押一個衛兵前去傳令。

11

沒一會功夫，衛卒勞改犯全部集合在廟前廣場。

項梁押著卒長和勞改旅長，彭越高高舉起大監工的頭顱，雖然天色已暗，在燈籠火把的照耀下，看得依然清晰。

一千多人鴉雀無聲，都想知道發生了什麼事情。

項梁要卒長先說話。他雖然有點不甘心，但在劍尖抵住背後的情況下，他只有大聲宣佈：

「大監工被殺，我們回去也只有死路一條，希望各位自作打算，從現在起，我不再是你們的卒長。」

台階下面眾人一陣混亂，有些兵卒還想反抗，紛紛被群眾制服，亂腳亂拳，踢打個半死。

「各位安靜下來！」項梁大聲一吼，壓住了全場：「不要毆打衛卒，因爲他們和我們一樣，也是受壓迫的可憐蟲！」

群眾停止打衛卒，蹦跳起來歡呼。

「大家靜一靜，」項梁連作手勢要眾人靜下來，接著他又說道：「嬴政爲了一個人生前的享受和死後的風光，害得我們這樣勞苦，害得多少家庭破碎，妻離子散！而且我們所聽到的不是謠言，陵墓築好之日，就是我們殉嬴政死之日，所以我們要早作打算，對不對？」

「對，不錯！」一千多人狂吼。

「因此我殺了大監工，其餘的人不可爲難！」

「只要他們不反抗，我們就絕不爲難他們！」群眾中有人大聲喊。

「聽到沒有？大家都懂事得很，不要作無謂反抗。」項梁撤回指著他後心的劍。

「以後我們要怎麼辦？」眾人中有很多人這樣問。

彭越笑嘻嘻的站出來說：

「各位有三條路可以選擇，第一條，會水性，喜歡在水上討生活的跟著我！」

「我們跟著你！我們跟著你！」許多人鼓噪。

隨後黥布也站到前面來說：

「願意佔山爲王，收買路錢的跟我！」

「眞不賴吔！」更多的人異口同聲：「幹老本行，做無本錢生意眞不賴吔！」

「好了！願意跟這位彭大哥的站到左邊，想跟這位黥布大哥的站到右邊，想自找出路的留在中間不要動！」項梁隨即宣佈。

群眾中一陣竊竊私議，最後絕大多數都分成兩邊站好，中間只留下一百人都不到，衛卒更沒有一個留下。

「看到了吧？」項梁笑著對卒長說：「你的部下都很聰明，知道回去不會有好日子過，你自己呢？」

「你呢？」卒長反問項梁。

「我留在中間自找出路。」項梁回答。

「我跟你一樣！」卒長說。

「那還要請你幫忙作這裡的善後處理。」

「當然應該效勞。」卒長臉上毫無懼色。

項梁這時才仔細打量這位卒長，看上去不過二十出頭，劍眉星眼，紫膛色臉上無鬚，身體細長，非常英俊，不禁起了惺惺相惜之意。他說：

「鬧了這大半天，還不知道貴姓大名？」

「陳豨，」卒長隨即反問：「足下尊姓大名？」

「項梁。」

「原來是昌平一戰以五萬軍隊力敵秦軍二十萬的項將軍，失敬！失敬！」陳豨神色立刻變得恭謹起來。

「囚犯之身，往事不値一談。」項梁也客氣的說。

彭越和黥布將要跟隨他們的人都編好隊，然後陳豨將車輛馬匹、兵器糧食分給兩人，再個別分一些給那些自謀出路的人，乘著暗夜各自走了。

項梁帶項羽向魏豹等人告別說：

「記得和下相連絡，異日有事再相扶持！」

叔姪二人馳馬走了。

這一千多人就這樣消失在山林大澤中。

李斯和趙高得到報告，只下令各有關郡縣嚴加緝拿，不敢讓始皇知道。

始皇猶自陶醉在自己的幻想裡，他要建前所未有的宏偉宮殿和陵墓，而且每次視察工程時，他都會有種成就感的滿足。

在勞改犯的「萬歲」聲中，他錯覺到這些人都感激他的寬大，樂意爲他這位偉大的天下之主效勞。

秦自商鞅變法以後，就以男耕女織，人民各安百業，夜不閉戶，山無盜賊而自豪。

天下統一後，原先六國之地雖有零星山賊江盜出現，但人數極少而且沒有組織，都是時聚時散，幹完一票就走。

自從彭越帶領眾人在江上爲盜，黥布佔山爲王後，其他前六國將領及遊俠紛紛效法。秦國本部以外，盜賊增多，但各地郡守都不敢呈報，怕惹惱始皇受到處分。

這些情形始皇也不知道，他還認爲天下都治理得和咸陽一樣井然有序。

焚書坑儒

1

有一天，始皇自阿房宮視察工程回來，心情特別好，下令晚間置酒咸陽宮，大宴群臣，除朝中大臣外，另特邀七十位博士參加。

別的君主召宴，多是聲色歡娛，酒酣耳熱，君臣尚能忘情盡歡。而始皇乃是個工作狂，每次召宴，酒過三巡，話題又會扯到國事上去，人人皆以賜宴爲苦，但又不能不去。

這天晚上，始皇意外的不談國事，只是頻頻賜酒，還有歌舞助興，可是酒酣耳熱，博士領班姬周和魯青率領眾博士起立，來到始皇席前敬酒。

敬完酒紛紛復座，這時僕射周青臣乘機歌功頌德一番。他也上前敬酒說：

「昔日秦國疆域不過千里，全賴陛下神靈明聖，所以能平定海內，放逐蠻夷，如今普天之下，凡是日月光輝照得到的地方，莫不誠心悅服。而且陛下創先所未有的制度，以諸侯封地爲郡縣，今後得永享太平，無戰爭的禍患，黔首人人安樂，萬世無憂，自古以來，沒有任何君王能比得上陛下的威德。」

始皇聽到他的話，高興的哈哈大笑，他舉杯說：

「說得好！朕就喝你敬的一杯！」

博士齊人淳于越看不下周青臣拍馬屁，他在宴席位上俯身舉杯敬始皇說：

「殷周所以能享國長久，相加起來有一千五百餘年之多，原因是在能廣封子弟功臣作爲輔助，正如同大樹的根一樣，向各方向蔓延，佔地廣濶，樹自不容易爲風吹倒，也經得起乾旱。今陛下擁有海內，而子弟全爲匹夫，沒有尺土之封，如果權臣中有人生異志，外有何人能救？」

始皇開始面露不悅，但淳于越裝着看不見而繼續說下去：

「古來制度都是經過長期的考驗，能流傳下來一定有它的好處。所以有古人說，利不十倍就不要改制，未經過實驗的制度驟然實施，乃是件很危險的事。現在青臣不但不勸諫，反而當面歌功頌德說阿諛話，他不是忠臣！」

周青臣氣得滿臉通紅，正想站起來反駁，始皇做手勢制止住他。始皇緊盯着這位白髮蒼蒼的老博士看了很久，心裏在想：

「廢封地，建郡縣，制度已行了將近十年，今天你還在舊事重提，而且態度這樣惡劣！」

他本想斥責他，但再一轉念，他也是爲了他好，才肯這樣直言，不應該怪他，看樣子這項制度還是有很多人內心不服，尤其是這些書呆子，不如趁現在大家都在，痛快徹底的討論一下。

於是他揮了揮衣袖，正在奏樂的樂隊和舞池中的舞伎全都停了下來，他輕聲對侍立在旁的近侍說：

「要他們都退下！」

近侍大聲傳命，樂工舞伎魚貫退出。

殿中響起一片竊竊私語，全怪這個老頭子淳于越殺風景。在齊地言論自由慣了，來到咸陽舊習難改，說話還是這樣衝頭衝腦，幾年難逢的不談政事君臣同樂，就給他幾句話弄得夭折。

「好吧，」始皇面帶微笑的說：「相信很多人對這種新制度不太贊成，今晚我們徹底討論一下。」

首先是左丞相李斯發言。

「五帝都各有各的制度和行事法則，夏、商、周也各有各的治國要領，並非代代相襲一成不變，爲什麼？」說到這裏他轉身面向群臣，做了一個誇大的手勢：「這並不是一定有意和前代唱反調，而是因爲時代環境變了，制度和治國法則就不能不跟着變。現在陛下乃是創萬千年來空前的偉業，要世世代代的萬世傳之無窮，豈是你們這些食古不化的儒生所能懂得？剛才淳博士說的是三代故事，各位想想三代算得了什麼，能指揮的兵力不過萬乘，控制的範圍不過千里，怎麼能拿來和陛下比？」

李斯這番話是搗翻了馬蜂窩，淳于越帶領着七十博士紛紛還擊，七十位博士至少有二十位發言，全都是引經據典，侃侃而論，當然李斯在當場也有黨羽幫他辯駁。你一段問難，他一番責備，最後變成了儒家和法家的思想大戰，而且雙方的措辭都充滿了辛辣刺激。

始皇一直保持沉默，聽得津津有味。

不知不覺已過夜半，雙方辯論沒有結論。

這些博士平日只知皓首窮經，著書立說，對說話沒加研究。書呆子大部份直爽，尤其是齊魯兩地來的博士，只要他們認爲是眞理，想到什麼就說什麼。他們以爲是在攻擊李斯等人訂立的政策和制度，卻不知句句都傷到始皇自認是超過三皇五帝的得意創舉。

始皇聽到後面越來越不耐煩，心裏一直在想：

「朕花了這麼多經費養你們，給你們這樣尊貴的客卿地位，原來你們整天研究的就是如何反對朕的新構想，眞是一羣食古不化的愚儒！」

等到天色快明，始皇終於打了個呵欠，意興闌珊的說：

「辯論到此爲止，李丞相將這次議論作對策奏朕。」

博士們不得不停止發言，尚覺意有未盡，卻絲毫未發覺一場空前絕後的浩劫即將來臨。

2

左丞相李斯和他的法家門客，整整花了十天的時間擬好了一封對策上奏始皇，對策內容大致是：

「昔日諸侯相爭，各有其國，而且是爭相招士，所以養成私人教學和遊學的風氣。現在天下已經統一，法令從一而出，百姓應當努力從事農工，士則應該學習法令制度和各種刑法。但現在這些儒生所教出來的士人，不學習時下有用的實際學問，整天只知道鑽研古書，亂發議論，妖言惑眾，導使黔首對陛下所創的法令制度起懷疑，爲害之大，不是任何罪行可以比擬的。

同時，這些人只要說到有新法令頒布，就用他們所學的那套舊經典一一駁斥，不但個人在內心不服，而且出外就群聚非議。以批評陛下來成名，以唱反調爲高明，嘩眾取寵，成群結黨來專門製造謠言譭謗政府，這種情形要是不迅速設法禁止，就會造成百姓不再信服政府任何行政措施的危機，必須要禁！」

接下去李斯在對策上提出禁止的具體辦法：

「臣請求，凡是非秦國歷史的所有史書全予以焚毀，不是掌管圖書的官方博士類人員，任何人不得私藏詩書及諸子百家的書，這項命令交由郡守、郡尉等地方官執行查禁，搜出的書簡全部加以焚毀。

另外，凡是有兩人以上集合討論詩書的，論斬棄市，以古制來批評責難現今制度的滅族，官吏知情不報者同罪。接到焚書令三十天內不執行的，無論官吏百姓，一律判勞役四年，謫配北邊築長城。實用學問的書簡，如醫藥、卜筮、園藝等例外。有人想學習政治、刑名法令之學，可由官方辦理的學校教授。」

始皇看到李斯的這封對策，可說是文情並茂，極具說服力。裏面痛陳以古非今的錯誤，並報告天下各地都出現了這種亂象，尤其以齊魯兩地最爲嚴重。

自從魯人孔丘私人辦學，有教無類，儒家思想深入了這兩地的各個階層，討論政治不再是士大夫和貴族的專利，再加上孔丘孫子子思的門人孟軻，早些年來遊說各國，大事宣揚「民爲重，社稷次之，君爲輕」的以民爲本的理念，齊魯兩地的百姓莫不景從。

再者，齊地多年沒有戰爭，民間富裕，百姓有閑暇和餘力來討論理念和政治，士大夫學術結社清談，市井販夫走卒談論行政得失，批評官員私德，久已成了風氣。

齊法寬鬆，歷代齊王和宰相都採無爲而治的作風，一旦將嚴酷的秦法加在頭上，執法官員——尤其是由皇帝直接派出的郡監御史——莫不以苛察爲名，藉執行法令之便，勒索賄賂，要求好處，在在都引起人民的反感，更覺得還是古制比今制好多了。

當然，李斯沒有明言中央政府派出官員的種種劣績，而是將齊魯兩地不安的情形全歸諸古書，以及鑽研、教授古籍的儒生。

李斯最後的警語是：再不查禁古籍，再不禁止儒生私人辦學和結社，很快中央集權的新制度就會遭到質疑和挑戰，尤其是孟軻「民爲重」的學說，更直接動搖皇帝的統治權威。

看完這大堆沉重的書簡，始皇的心也跟着沉重起來。

他習慣性的又在南書房室內踱起方步來。

「朕是始皇帝，一切應該由朕開始！」他想：「但焚燒所有古籍，這是件大事，應該好好考慮！」

就在他委決不下的時候，忽然有近侍來報：

「前將軍蒙武夫婦求見，正在宮門外等候。」

這正是喜出望外。

3

近侍將蒙武和齊虹帶進南書房，始皇帶着風雨故人來的喜悅，竭誠的歡迎他們。

蒙武要行君臣大禮，始皇一把拉住，堅持要他們夫婦行賓主之禮，各人就席位後，始皇取笑的說：

「你現在是葛天氏之民，不在朕的管轄之內。」

「臣怎麼敢！」蒙武有點惶恐的說：「四海之濱莫非王土，宇內之士莫非王臣。」

「這只是你嘴裏說說罷了，心中不會作如是想，」始皇哈哈大笑，笑聲帶着些許寂寞。他接着說：「你們夫婦都變了很多，眞有股不食人間煙火的仙氣。」

蒙武夫婦的確變了不少。

蒙武不再是當年翩翩美少年，躬自力耕的結果，臉和手都變成了古銅色，手掌更是繭痕累累，粗糙不堪。

齊虹容顏已老，鬢邊出現幾絲白髮，額間也有了皺紋，算算年齡也該如此了。

始皇見了不免暗自心驚，到底是歲月不饒人。在他心中的皇后，依然是那樣秀麗，實際上如今不也是白骨一堆？但他們夫婦二人的雍容瀟脫卻絲毫未改，反而增加了一股他說不出的高貴氣質，這是他在周圍群臣身上所找不到的。

那種無拘無束、沒有任何羈絆的氣度，也許只有雲中龍、山頭虎才能形容。

始皇不禁有點羨慕起他們來了。他忍不住笑着問：

「多年來，朕想見見你們，不便明召，派使者去存問，也是想你們自動回聘來見，你們只是裝作不知。今天是吹什麼風，竟讓你們賢伉儷捨得渭水上的神仙風景，來到紅塵汚穢的咸陽宮？」

「臣習慣了山野生活，早已變爲村夫鄙人，怕朝覲陛下會失禮儀，所以不敢來。」蒙武也笑着回答。

「那今天有什麼要事必須前來？」

「的確是天大的要事。」蒙武認眞的說。

「日出而作，日入而息，葛天氏之民也有天大要事？」

「不是爲臣自己，而是爲了陛下！」

「爲了朕？」始皇開始感到驚詫，但立即明白了蒙武的來意，他笑着說：「你們來得正好，爲了這件事，朕正想找你們。」

他說着話，一邊拿起李斯的奏簡，要近侍捧去交給蒙武。蒙武就在席位上讀畢，交近侍捧回給始皇。

始皇問：

「蒙卿有什麼意見？」

「臣正是爲這件事而來，陛下，焚古籍的事千萬做不得！」蒙武避席頓首：「要是這樣做，陛下會讓天下人感到遺憾！」他底下還有句話不敢說出，始皇要是這樣做，會在千古歷史上留下罵名。

「朕也是委決不下，」始皇緊皺眉頭說：「但李斯說得對，讓儒生這樣煽動，黔首如此盲從下去，最後會損及朕的威信，動搖國本！你是否爲此事而來？」

「正是。」

「你怎麼會知道的？朕還沒作決定，」始皇懷疑的問：「你身居邊荒鄙野都知道了，那咸陽豈不是人人都知了！」

「其實這並沒有什麼好奇怪的，」蒙武笑着說：「李斯上這本奏簡時，和門客討論多時，免不掉有些門客在外宣揚。」

「那你說說看，爲什麼千萬不可？」

「凡事都有個源頭，沒有古哪來今？諸子百家有如支川水流，然後集成江河，匯爲海洋，要是學術思想沒有源頭，很快就會乾涸。」蒙武憂心忡忡的說。

「楊朱不是說，歧路多會走失羊，學說太多，也會教人無所適從？朕的意思是要天下定於一，法令制度定於一，學術思想也定於一，這樣天下才能長治久安不亂。」

「防民之口有如塞川，」蒙武誠懇的說：「杜絕黔首的思想更是不可能的事。人心不同正如其面，各有各的想法說出來，才能集思廣益，互作比較，讓治國者選擇最好的做法。」

「朕認為秦國的法令和制度都是天下最好的，不然不會如此快富國強兵統一天下；朕的作為也遠超過三皇五帝，不然不會有中國空前的眞正統一和廣大的版圖。朕不明白這些愚儒和無知黔首為什麼還要懷念舊時制度，以古非今批評朕！」始皇越說越氣憤。

「……」蒙武一時插不上嘴。

「有人在背後批評朕剛愎自用，不知遵守古制，不肯效法古人，他們不知道這正是朕大公無私的地方。朕不分封子弟，乃是鑒於諸侯一多，就會戰亂不息，中原幾百年的戰禍，難道還不能作為前車之鑒？再說，只有事功統一才能眞正的發揮辦事效率，各國各自為政，什麼都做不好！」

蒙武正想答話，忽然有名近侍進書房報告，朝門外聚集了大批儒生和黔首，說是要覲見始皇請願。

「蒙武，你們跟朕到外面去看看，這是秦國從來未發生過的事！」

4

始皇帶着近侍護衛，由蒙武夫婦陪同上了午門城樓，只見城下跪着黑壓壓一片人群。他仔細一看，帶頭的正是博士齊人淳于越，跟他跪在一起還有二十多位博士，後面則是數千名百姓。

始皇不悅的問：

「淳先生，有事可以向朕當面說明，爲何帶了這許多黔首同來？」

「他們不是臣等帶來，而是一路上自動跟來的。」淳于越跪伏着說。

「平身起來說話，」始皇大聲說：「你先要眾人散去，有事進宮來說。」

但眾百姓聽到始皇說話，先是高呼萬歲，接着群聲如雷的喊着：

「我等要聽陛下親口答覆，否則跪死在宮門口！」

「淳先生，這是怎麼一回事，他們要朕答覆什麼？」

眾百姓異口同聲各說各話，頓時現場一片嘈雜，淳于越站起來揮手，要羣眾安靜後又復跪下。

「到底是什麼事？」始皇明知故問，心頭怒氣已經暗生，他轉向蒙武低聲說：「你看這就是思想分歧的好處，挾眾威脅！」

「陛下請息怒，看淳先生怎麼說。」蒙武柔聲安撫。

「外傳李斯丞相上奏陛下，要焚毀天下所有經典古籍，不知可有其事？」

「李丞相雖然上奏，但決定權在朕，朕仍在考慮中，你這樣聚眾要脅，該當何罪？」始皇已忍不住憤怒。

「臣罪該萬死，但焚毀古籍，斷絕數千年的思想源流，這件事不只事關天下治亂，而且涉及後世萬代子孫，臣不敢不冒死勸諫。」淳于越俯地叩首說。

「這件事朕自有考量，你先帶着黔首散去。」始皇強自再忍住怒氣，和言悅色的說。

「這事由臣引起，臣萬死不能辭其咎，但求陛下親口答應不予批准，讓臣等及百姓安心！」淳于越又再頓首。

「朕說過自有考量，難道說你一定要當面逼朕屈從？」始皇怒聲說。

「臣勸陛下分封子弟，也是爲了鞏固國本，願大秦千代萬世流傳下去！」

「朕並沒有怪你！」

「臣怒斥周青臣諂媚，也是爲了陛下好，但想不到引來丞相如此議論。」

「朕說過決定權在朕！」始皇不耐煩的高聲說。

「請陛下親口允准，否則一旦焚書令下，陛下在歷史上留下汚名，臣亦成爲千古罪人！」淳于越叩首流血。

「不要理他，這個老頭子眞頑固！」始皇一拂袖轉向蒙武夫婦說：「讓他們跪在那裡，看他們能跪到何時！」

蒙武正待進言，只見淳于越忽然翻身跌倒，滾了幾滾，腿一伸直，就不再動彈，博士中有人圍上來查看，原來他早已服下劇毒，此刻是毒發身亡。

「讓朕去看看。」始皇就要下城樓。

「群眾不久就會發生騷亂，陛下還是先回南書房。」蒙武勸阻說。

果然始皇還沒有下得城樓，就看到人群亂奔，全圍擠上來看淳于越的屍體，你推我擠，竟有人互相毆打和踐踏。

在混亂中有人高聲罵：

「嬴政，你要是焚書，你就會留下千古罵名！」

「嬴政，你這個昏君，你連桀紂都不如！」

「不錯，桀紂雖然暴虐，還不至於愚蠢到焚毀古籍！」

蒙武憂心的看着始皇，深怕他一怒之下，下令將這幾千人都坑埋了，這在他不是不可能的事，他急忙對他說：

「陛下，群眾一騷動起來就是這樣，請陛下移駕回南書房！」

眾近侍也來相勸，誰知始皇不怒反笑，冷靜的看着城下像開水沸騰亂鬨鬨的民眾，靜聽着百姓的怒罵，轉臉對蒙武說：

「你看看，這就是閱讀古籍的好處，他們知道有桀紂，也知道拿來和朕作比較！」

「群眾都是這樣，仗着人群遮掩壯膽，什麼平時不敢講的話都敢講出來，請陛下息怒。」蒙武爲這些群眾說好話。

「蒙武，不要擔心，朕現在是一點怒意都沒有了。」始皇微笑着說。

他這一微笑，反而使蒙武更爲憂心，因爲他熟知始皇的脾氣，他只要在怒極時轉爲微笑，下面一定是出人意料的殘酷行動。

「虎賁軍爲什麼還未出動驅散民眾？」蒙武接着在心裡想。

就在這時，響雷似的馬蹄聲從城兩側響過來，黑盔黑甲黑旌旗的虎賁軍出動了。跪求和叫罵的民眾全都紛紛向四處逃散，逃慢的挨着一頓鞭子，只有二十位博士仍圍在淳于越的屍體周圍不去。

抓了兩百多名沒來得及逃走的群眾後，虎賁軍都尉來到城下，下馬行軍禮啓奏：該如何發落這些群眾和跪在淳于越屍體周圍不走的博士。

始皇看了一眼蒙武，轉臉對那都尉說：

「將他們都放了，家裡人都在等他們吃晚飯呢！」

蒙武夫婦都長舒了一口氣。

「交待奉常，淳先生予以厚葬！」始皇轉向近侍說。

蒙武尚未說出心中寬慰的話，只聽到始皇又對他說：

「回南書房去，表妹伉儷過了這麼久田園生活，到宮中來應該換換口味，在這裡多盤桓幾天，但是不要再談國事，國家的事朕自會處理！」

這下完全封住了蒙武的口。

他回到南書房的第一件事，就是用硃筆在李斯的奏簡上畫個了「可」字，字跡比平時大三倍！

5

丞相李斯的奏議得到批可後，他立即召集所屬百官緊急策劃並雷厲風行的執行。

首先他以始皇的名義詔告天下，限期焚書，令下三十日不燒者，黥爲城旦，發往北邊築長城。

然後由朝廷派出監御史到各郡監督執行；郡則派監察人員到各縣；縣則派檢查人員到鄉里。

開始還有人觀望，也有人趕快挖地窖、築複壁，將書藏進去，這項行動不能請人，也不能在白晝公開進行，只能利用深更半夜，鄰人、家人都睡着時，一個人偷偷起來摸黑做。因此，許多白髮蒼蒼的老學究，平生第一次拿起鋤頭或泥鍬，弄得滿手都是水泡，但他們爲了保存傳統文化，只有興奮和喜悅，沒有半點怨悔和恐懼。

這類行動以齊魯兩地進行得最爲積極，也是若干年後古文（大篆）經典出土的唯一來源。

還有的人怕藏書遲早會被找到，乾脆將自己的腦子變成書窖，三十天內日以繼夜的背誦，能記多少算多少。他們也有集體合作的，大家分配你背《周禮》，我背《詩經》，他背《春秋》、《易經》……等等，這是日後由他們自行寫出，或他們口述，而別人用今文（小篆）記載的古籍眾多來源。

當然，他們爲了怕其中有人背叛，全都經過神前發誓、歃血爲盟等鄭重儀式。

不過，也有更多的人按照規定將書簡交出去。

於是古籍竹簡，羊皮、絲絹手抄卷，以城、鄉爲單位集合起來焚燒，豈止是汗牛充棟，簡直是堆集如山。

北自遼東，南至南海，東自齊地，西至臨洮，只要是大秦統治權能及的地方，只要是中原文化所流到的處所，這三十天內，每天日夜都在焚書。在眩目的火光下，幾千年來先聖先賢的智慧結晶，無數工匠巧藝體力的付出，全化成飛煙灰燼。

群眾有的就近圍觀，有的含淚忍住心痛，遠遠看着多少代遺留下來的傳家之寶，花費了多少祖先心血和時間才能保存完美的寶貝，頓刻之間變成烏有。

本來群眾多數時間是對立的，一件事有人喝采，一定有人會怒罵，但這些圍觀焚書的人，全都是一個模樣，一種心情，他們沉默含淚，在心頭流血。

沒有人願喝采，更沒有人敢怒罵，他們只是沉默，只是心頭流血。

三十天內，朝廷、郡縣使者奔馳不斷於途，有報成果的，有請求敍功的，但也有要求罰罪的。

原來，始皇詔命剛下，不但民間，連很多官員都心存觀望，認爲這只是一聲迅雷，響過了就沒事，因爲焚盡天下古籍，這就跟下令天下人都不准吃雜糧只准吃麵一樣荒謬！一樣無法執行！連李斯派出的監御史都大部份存有這種看法。

更重要的是，無論大小官吏都是讀過書的，多多少少對這些古籍都有一份濃厚的感情和甜美的回憶，毀掉這些古籍也等於否定了自己所有的過去，他們還有什麼可以向一般不識之無的平民、略通文字的商人自傲的？

結果是李斯看到大小中央地方官員都在虛應故事，他動用了最可怕的特務組織，查報了一些執行不力的官員，處以抗命罪名，處斬的處斬，下獄的下獄，這下大家才相信是玩眞的了，再也不敢鬆懈的認眞執行。

三十天內焚書雖然熱鬧，害了不少的官員定罪，但事情的最高潮還在三十天限期過後。各級政府組織成搜查隊，挨家挨戶的搜查古籍，不但翻籠倒櫃，而且也拆牆毀室，遇有可疑的地方，更是掘地三尺。

清廉的官吏是含着淚忍着心痛執行命令，不肖官員正好藉此機會大發焚書財。收賄賂可以睜隻眼閉隻眼，沒錢送，目不識丁的人家也可以整個翻過來。

更恐怖的是各級政府厲行檢舉及連坐措施，檢舉者有重賞，知情不報者同罪。於是鄰居檢舉鄰居，同事告發同事已不算稀奇，父親舉發兒子，兒子舉發父親，兄弟互相告發的情形更是層出不窮。

這種時候最危險的是枕邊的妻子，哪天你說夢話無意中洩漏了秘密，過兩天你們吵了架，或者是動了老拳，妻子一氣之下就出去檢舉。

在這個時期裡，各級政府忙着抓人、審問，接受檢舉，再追捕犯人所招供牽連出來的人，這樣株連的範圍越來越大，人數越來越多，不但監獄人滿爲患，有的貧苦縣份連囚糧都發不出來，只有下令自備囚糧坐牢，等待押解到北邊修築長城。

這樣造成妻離子散的破碎家庭不知有多少，各地解往北邊築城的犯人更是絡繹於道。

秦國本部早已習慣了這種嚴法酷刑，雖有怨言，還不至於公開反抗。齊魯等地卻是自由慣了的，文風最盛，藏書也最多，株連的人當然也多，他們感到無法忍受，總要採取點行動讓始皇明白民怨，稍事寬容和收斂一點。

無視於偶語棄市的禁令，有些學者仍秘密集會，他們集合在地窖裡，上面派出把風者，夜夜討論對策。他們派人到齊、魯、燕、趙各地連絡，籌劃來一次全國的示威運動。這些學者不只是儒生，還有楊、墨、陰陽、雜家等等各派，甚至包括了不讀書的市井遊俠，因爲他們的組織爲秦所徹底摧毀，現在眞正成爲無墓的遊魂。

這裡面主持鼓動和連絡的，正是那班因「裝神弄鬼」判罪，遣返原籍限制居住的儒生兼方士。他們最恨嬴政，而最唯恐天下不亂。他們彼此熟悉，連絡起來也方便。

這些人的行動尚未醞釀成熟，一點星星火花卻點燃了反焚書的野火。

6

魯地曲阜，孔府大成殿前，一千多名縣卒和兩萬多名民眾對峙。縣卒有騎馬的，也有徒步的，全副甲冑，如臨大敵，全都靜肅的等待上司進一步命令。另外，在他們背後還有數百名拆除工人，手執拆除工具，有的站着，有的蹲着，不耐久等的咕噥着。

兩萬多民眾席地而坐，將大成殿多層團團圍住，一個個俯首低眉不說話，卻個個緊咬着嘴唇，臉上流露與大成殿共存亡的決心。群眾有孔家子孫，也有聞風來增援的外姓人，男女老幼全有，還有懷裡抱着孩子的婦女。

帶隊的縣尉正在和群眾代表，也是孔家族長的孔鮒理論。這個年輕的小伙子對滿頭白髮的孔鮒倒算恭敬，他說：

「孔先生，這兩名牧童拿着竹簡玩，上面刻的是易經部份文字，可說是人贓俱獲，抵賴不掉的。而且他們也招認了，當天晚上看到很多人搬重東西進去，這還有什麼話說？」

說到這裡他用腳踢了踢跪在前面、全身五花大綁的兩個十歲左右的孩子說：

「你們在哪裡撿到這幾塊竹簡？」

「在大成殿後面的草堆裡。」兩個滿身是傷的孩子說。

「當天夜裡你們好奇，又守在這裡看，看到什麼？」

兩個孩子面面相覷都不肯說。縣尉踢了其中一個孩子一腳，大聲叱喝：

「告訴你們族長，你看到些什麼？」

「很多人……很多人搬東西進去，」孩子囁嚅的說。

「孔先生，現在你親耳聽到了。」縣尉得意的說。

「就是搬東西也不一定就是搬古籍，裡面擺設先祖的舊物甚多，而且前兩天你們也搜查過，沒有什麼古籍，你們該放手了。」孔鮒挽着花白鬍子沉着的說。

「所以我們懷疑這裡面有夾壁，要拆開看看。」縣尉詭異的微笑。

「拆大成殿？絕不可能！」孔鮒堅決的說：「先祖孔子去世第二年，魯哀公於舊居建大成殿祭祀先祖，歷代魯君及各國諸侯莫不視爲聖地，只有歷年修建，從沒有人動過這裡一磚一瓦一小撮土。連中原視爲南蠻的楚人亡魯後，楚王也是年年派人來祭祀，你想拆，你擔當不起這個責任！」

「孔先生，你要講理，我也是奉命行事，不要讓我們爲難，」說到最後，他語帶威脅的說：「不要逼在下動武！」

孔鮒仰天哈哈大笑，隨即又臉色凝重的說：

「那很簡單，要拆大成殿，先殺了老朽，然後踩着這兩萬多人的屍體過去。」

「不錯，放馬過來，踩着我們的屍體過去！」

靜坐的一層層民眾全都站起來怒吼，吼得縣尉震耳欲聾，緊皺着眉頭，他向後走到隊伍前面，小聲對左尉說：

「這件事很棘手，本鄉本土的事怎麼忍得下心動眞刀眞槍？縣令倒躲得快，就是不親自露面！」

「大人別忘記縣令也是孔家子孫，要他來主持拆祖廟，當然不敢來。」

「派去報告郡守的人怎麼還沒回來？他是秦地人，事情比較好辦些。」縣尉緊皺的眉頭一直打不開。

「就是朝廷派來的監御史親自來辦這件事也很難，別忘了縣卒大部份是本地人，而且姓孔的特別多！」

「你不要說話老是教本官『別忘了』，你才要『別忘了』，雖然你姓孔，等下行動你也得先帶騎卒打頭陣，這是命令！」縣尉沒好氣的說。

「遵命，但大人別忘了還是等郡守指示來了，再行動比較好些。」

「本官知道！」縣尉不耐煩地用手上馬鞭擊打着皮靴。

就在這時，一部駟車後面跟着數十騎護衛向這邊馳來。縣尉鬆了口氣說：

「看樣子是郡守大人親自到了，這個燙手山芋終於丟得掉了。」

但等到車子到達面前，下來的頭戴高冠、身穿紅色錦袍的不是郡守，卻是朝廷派來的監御史。

縣尉這下心情更為輕鬆，連忙上去行了個軍禮。還未等到他開口說話，這位軍人出身的監御史早就怒吼起來：

「怎麼到現在還不採取行動？」

縣尉苦笑着，指指狂呼嘈雜的群眾。

「你有千餘兵卒在手，還怕這些手無寸鐵的老幼？」監御史不屑的說。隨即他又叱喝：

「要你的人開路，讓工匠好進去工作！」

縣尉連聲稱是，轉身下令騎卒開道，卻沒有一個人理他，原來八百名騎卒中間竟有一大半是姓孔的。

監御史見狀，氣得哇哇大叫，抽出佩劍指着縣尉的胸口說：

「陣前不進，按軍法從事！」

縣尉急得向左尉說：

「孔鏈，按照先前計劃，你帶騎卒衝鋒帶路，違令者斬！」

縣尉也拔出佩劍指着左尉孔鏈的後心。

孔鏈哭喪着臉大聲喊着：

「兄弟們，成衝鋒隊形衝開一條路來！」

他一馬當先衝入民眾群中，其餘騎卒亦十馬一排接着衝上來。孔鏈一邊衝一邊在喊：

「族內父老兄弟姐妹，拜託讓條路出來！」

百姓一看騎卒眞的衝鋒起來，全往兩邊逃散，大人叫，小孩哭，亂成一團，很快就有人被馬踩傷踢死，或是逃走時被人擠倒在地，眾人就從他們身上踐踏過去。

「孔鏈，你棄祖叛宗，一定不得好死！」人群中有認識他的齊聲痛罵。

但衝到第二層時，裡面的人早就有了準備，他們有的帶着絆馬索，有的拿着木棒，齊心合力將這些衝進人群的馬絆倒，將馬背上的人擊昏後綁起來。衝入人群的孔姓子弟騎卒不等他們打，早就跳下馬來束手就擒，口裡還不斷叫着伯伯叔叔，拜託他們在身上敲點傷痕出來，等下好交差。就這樣半眞半假，打打絆絆，八百名騎卒全當了民眾的俘虜。年輕好玩的孔家子弟，很快利用他們族兄弟騎卒的馬匹和兵器，成立了一支「孔家騎兵隊」，來到最外層抵拒剩下的一千多名步卒。

「反了！眞的反了！」監御史氣得怒吼，轉向身後的護衛說：「快去找郡守調動大軍，孔家人抗拒官軍，造反了！」

護衛奉命掉轉馬頭正要走時，只聽到耳邊有人說：

「不必去找，本官已經來了。」

原來郡守在半路得到消息，棄車換馬，只帶了幾名隨從趕到。

郡守鄧鏗在馬上和監御史見了禮。

「鄧大人對這件事如何處理？」監御史問。

「平息民怒爲先，」鄧鏗堅決的說：「讓下官先和他們的族長談談！」

「看你對主上如何交代？」監御史憤憤的說，隨即登車而去。

「下官自會交代。」郡守不理他，下馬自行去找孔鮒。

兩人達成協議，只要鄧鏗任郡守一天，絕不動大成殿一草一木；孔家交還八百騎卒和馬匹兵器。

軍隊撤走，民眾回家，但很多百姓不放心，仍露宿在大成殿附近樹林中。

郡守和監御史回到薛郡，兩人都上奏簡互告對方。

7

始皇在接到薛郡郡守和欽派監御史的互控奏簡同時，也接到來自齊、燕、趙等地各郡的緊急報告。

曲阜孔子大成殿事件已引起一連串浪潮，主題已不在焚書，因爲書已經焚了，再反無益，而是只要求不要再追捕人和拆房子查搜。

在這些因「裝神弄鬼」事件被遣返原籍的儒生的連絡和策劃下，首先是儒生帶着民眾向當地郡守縣令請願，郡守和縣令的答覆是抓更多的人，拆更多的房子。

於是民眾發動罷市抗議，三三兩兩閑逛街頭議論時政，正好符合偶語棄市的要件，於是更多的人下獄。

原先已消聲匿跡的市井遊俠，如今又出來展開活動，他們襲擊官員和執行焚書令的辦案人員，一天數起，弄得到處風聲鶴唳，草木皆兵。

各地郡守都要求更大的生殺之權，甚至有要求朝廷派遣大軍以防民亂。

始皇那天召集李斯和蒙毅到南書房商量對策，正好長子扶蘇有事來見。他見南書房有客，正想退出時，始皇喚住了他。

「扶蘇，你也坐下來聽聽，看看有什麼意見，這樣大了，也該學習一點政事了。」

扶蘇奉命坐下，始皇免不了打量了他一眼。只見他長得和自己極爲相像，只是嘴唇稍厚，紅潤有如塗丹。在一般人來說，這是忠厚仁慈的好相，但始皇認爲，當一個天下的統治者，忠厚只是表示無能，而仁慈更是軟弱的表現。

他應該是二十八歲了吧？始皇對兒子女兒的年齡始終弄不清楚，在他自己二十八歲時，已當了十五年秦王，經歷了重重政潮、征伐等國內外大風大浪，而扶蘇還在過着後宮的公子生活，沒經歷過戰爭，連政事都沒碰過一下，這是他的幸還是不幸，很難說。

但他決定，從現在起，扶蘇必須接觸軍國大事。

於是他首先對李斯和蒙毅說：

「天下一統將近十年，趙齊等地卻傳來不安消息，這種現象很不好，你們兩人負責執行這項焚書政策，應該檢討一下哪裡出了毛病。」

李斯咳嗽兩聲，清了清喉嚨說：

「這項政策是爲了千秋萬世作打算，原則上是絕對不錯的，只是執行上發生偏差，這是下級人員的問題。不管怎樣，這項政策必須貫徹到底，養成黔首守法的習慣，不然，今後任何法令一出，黔首先是議論，然後抵制甚至是反抗，這會造成整個行政的癱瘓，所以臣主張嚴厲處罰所有肇事的人。昔日商君變法之初，大家都說太嚴厲，然而十年後，秦國大治，這些批評的人又改口對商君讚揚，但商君卻將這些人都調配到邊疆去，以後就沒有人敢議論法令了，可見政令是用來要人民遵守的，而不是用來討論的。」

他的話剛說完，蒙毅發言表示反對：

「焚書令已經執行了，當然要貫徹到底，但目前最重要的是如何解決所引起的民怨，如何安撫趙齊等地的不安，再談原則未免太迂濶了一點。」

始皇點點頭說：

「好，現在我們就將重點放在解決眼前的問題，丞相，你的看法如何？」

「臣主張曲阜大成殿非拆不可，因爲大成殿不拆，就沒有理由拆查別人的房子，不拆查房子，人人都將書藏在複壁裡，焚書令就形同具文。另外，臣已查出，聯合鼓動趙齊等地風潮的人，正是那些遣返原地限制居住的儒生，非加嚴懲不可！」

始皇看了蒙毅一眼，嘆口氣說：

「朕對這些人可算得寬厚了，想不到暗中搗鬼的仍舊是他們。廷尉，立刻傳詔追捕這些人，並嚴加審訊，找出同黨，務必要一網打盡。」

「臣遵命，」蒙毅俯身回答：「但大成殿事件臣主張不必拆。」

「哦？說說理由看！」始皇驚訝的問。

「凡事需講求證據，才能依法執行，只憑有可能就拆房子，那天下所有房子都有藏書於複壁的可能，是否都要拆呢？何況，曲阜大成殿有如孔族家廟，拆人家廟和挖祖墳，一樣都是最會招致民怨的大忌。」

「丞相，你認爲廷尉的意見怎麼樣？」始皇問。

李斯當然不服，於是兩人就一個談原則一個談實際的爭論起來，久久仍不能決。最後始皇注視着扶蘇說：

「聽了這老半天，你可曾將事情來龍去脈聽清楚了？」

「兒臣已大致明白。」扶蘇回答。

「那你有什麼看法？」始皇微笑着問。

「兒臣認爲立法宜嚴，但執法宜寬，因爲人事千變萬化，並不是區區幾條死法令所能包涵應付的。譬如說，秦地黔首不注重讀書，焚書令很容易執行，而齊魯兩地文風甚盛，幾乎家家都有藏書，執行起來當然比較困難。尤其是孔子在那裡被稱爲聖人，要拆他的祀廟，恐怕會招來更大的風暴，所以兒臣建議，挑撥民怨的人必須嚴懲，而大成殿就不必拆。」

始皇聽了連連點頭，似乎覺得不夠，又問了一句：

「還有呢？」

「兒臣認爲父皇還可以派人去安撫一下，恩威並濟，雙管齊下，相信事情很快就能平息。」

始皇轉臉問李斯和蒙毅說：

「扶蘇的意見，兩位卿家認爲怎樣？」

兩人一致贊同。

「那要派誰去呢？」始皇沉吟着自言自語。

他看看李斯，李斯趕快把頭低下去。他似乎心裡明白，一切事情由他而起，到了齊地，恐怕刺客遊俠都會紛紛找上他。

「李丞相政務太忙，抽不開身。」始皇看出他的心意，笑着主動爲他解圍。他又看看蒙毅，在心裡想——蒙毅似乎又不太夠份量……但他不便說出，口中卻言道：

「廷尉去，別人會認爲要興大獄，不但不能緩和民怨，也許更會製造緊張……」

「兒臣願代父皇宣撫趙齊兩地黔首，解決曲阜大成殿問題。」扶蘇明白始皇要他自告奮勇。

「嗯，你也該出去走走了，丞相和廷尉認爲派扶蘇代朕去如何？」

「那是再理想沒有的了！」兩人異口同聲說。

於是始皇結論——

派公子扶蘇代皇帝巡狩趙魯齊三地。

立即逮捕先前由咸陽遣返限制居住的儒生，並擴大偵辦。

8

扶蘇決定這次代父巡狩要輕車簡從，只帶少數護駕人馬。他的同母兄弟紛紛表示反對，理由是人馬帶少了有損皇帝威儀不說，要是路上遇到亂民和刺客怎麼辦？

「那不是正好少了一個和你們爭立太子的人！」他開玩笑的回答。

其實，他心裡一直沒有立太子繼皇帝位的想法，因為他認為立胡亥是理所當然的。不過，他的確想藉這次巡狩之便，探訪一下眞正的民情，好帶回來作父皇施政的參考，專注重威儀，不能和民眾接觸，只聽到一些阿諛之聲，就失去了這次出巡的本意。

於是他取道魏地，經過趙齊，最後目的地是魯地曲阜，解決大成殿問題後再由楚地回咸陽。

一路上他明令地方官免掉接送等繁文縟節，也不要他們隨時相陪。每到一個地方，他只帶着兩名侍從，就在市井茶樓逛了起來。

就這樣，他見到了眞實的民間痛苦，也越看越感到心驚。

父皇日以繼夜的辛勤工作，想要爲民興利，傳令下面，經過層層的歪曲，效果適得其反。

他經過沿途和地方官及父老的親切談話，明白到焚書令對絕大多數的民眾並不發生影響，一個縣城中找不到幾家藏有古籍的，百分之九十九以上的人對這些書燒不燒也漠不關心。農民工匠絕大多數不識字，就是認得幾個字，也不會讀這些艱澀的古籍；商人雖然識字，忙着賺錢還來不及，哪有時間關心這些？剩下眞正在鬧的，只有這些靠古籍爲生的儒生和其他各家學者。

但焚書所引起的後遺症卻是可怕的，諸如地方官員乘機勒索；仇家藉此誣告興訟；儒生學者在中間挑撥煽動，說這些古籍都是上帝藉由聖人傳下來的啓示，嬴政燒這些書就是褻瀆上帝，背逆天意，天下人都會跟着他遭殃。

這些古籍扶蘇都讀過，在他的看法並沒有這麼神祕，有的是摻雜着神話的歷史，有的是記載某些帝王的片段談話，還有些載明當時的禮儀制度，雖然上面也提到了上帝，但絕不是上帝藉着這些聖人所說的話。

但經過這些在平民眼中認爲是聖人的儒生和學者一渲染，他父皇變成逆天的萬古罪人。

他最擔心的還不只是這些，而是一路上所見的不得休息的人民和破碎凋敝的農村，這在他回咸陽後，可要好好的勸諫父皇。

因此，他一路上安撫百姓，告訴地方官焚書令到此為止，不要再乘機入人於罪、勒索賄賂，更不得以嫌疑的罪名拆人房屋，除非真正抓到了真憑實據。

他沿途辦了幾名藉焚書令貪瀆和報私仇的高級官員，謫放到北邊修長城，黔首人心大快。他並將民眾所提意見全都記載下來，作為日後勸諫父皇的根據。

他所到之處，民潮一一平息，地方父老稱慶，互祝將來會有這樣仁慈的好皇帝。

最後他抵達目的地曲阜，首先由郡守和孔鮒等人陪同祭拜了孔子陵墓，然後辭退郡守等人，單獨來到大成殿，在裡面看到孔子生前的種種遺跡，不禁肅然起敬。他要從人備好三牲香燭，再度祭拜孔子和從祀的諸賢人，然後摒退左右，偌大的大成殿裡只剩下他和孔鮒兩人。

他微笑的對孔鮒說：

「令先祖孔聖述而不作，整理五經，對中原文化影響之大，前無古人，再加上著《春秋》，如椽之筆使得亂臣賊子人人恐懼，世上少了好多壞事！」

孔鮒早已得到扶蘇一路上作為的傳聞，對這位年輕公子印象特別好，再加上他祭拜孔子陵墓和神主的恭敬，他更是恨不得扶蘇馬上繼位做皇帝。但一想到大成殿拆不拆還未成定案，他神色黯淡的說：

「整理五經如何？著《春秋》又如何？還不是一把火燒得乾乾淨淨！」

「孔先生，你也認為一把火能燒盡天下所有的書嗎？」扶蘇意有所指的問。

「……」他不願回答，也不能回答。

「父皇這樣做都是一些腐儒惹惱的，一天到晚引經據典，以古非今，其實環境人事都在變，禮儀制度也必須變，才能配合得上。」扶蘇先為他父親作了辯護，然後語氣一轉的說：

「眞正有價值的東西是火燒不掉的，一定會流傳下去。」

「……」孔鮒想的仍然是大成殿能否存在的問題。

「先告訴孔先生安心，所有古籍，包括五經和《春秋》，朝廷都保存了完整的兩套，在這次以古非今的政潮過去後，再找工匠複刻或手抄不是件太困難的事，先生可以轉告其他儒生學者寬心。」

可是孔鮒雙眉仍然緊皺沉默。

「我明白先生心裡在想什麼，」扶蘇狡黠的說：「我答應先生不拆大成殿……」

孔鮒聞言，老淚脫眶而出，跪在地上接連叩頭：

「老朽感謝公子！感激公子！」

扶蘇連忙扶起他說：

「不過我也有一項請求，希望先生能答應。」

「公子請說。」孔鮒高興的說。

「告訴我，大成殿有沒有複壁？」扶蘇捉狹的笑：「在先祖神主前面是不能說假話的！」

「有！」孔鮒横着心說。

「有沒有藏古籍？」

「有！」

「先生倒回答得痛快，不怕我反悔？」扶蘇仍然笑着說。

「老朽不但相信公子不會反悔，而且知道公子將來繼位後，古籍文化一定會更發揚光大。」

「隔牆有耳！」扶蘇掩住了他的嘴，隨後鬆了手又說：「我對這並不作妄想。只是用這來向先生證實，有價值的東西先生會拚了身家性命來收藏，別人也會，何況還有這裡，」扶蘇指指自己的頭：「藏在這裡的人更多！不過，先生的話也讓我多一層放心。」

孔鮒這下完全了解，在焚書的事上，扶蘇是和他站在一邊的。

「明天我就要回咸陽了，希望先生能轉告民眾，不要再聽信那些愚儒的挑撥，其實他們中間有人以裝神弄鬼求取仙藥來欺騙父皇，遭到治罪也是應該的。」

「老朽遵命！」孔鮒躬身長揖。

扶蘇趕快回禮。

9

在咸陽宮南書房裡。

始皇凝視着滔滔不絕報告這次巡狩經過的扶蘇。

其實不需要他作報告，他每天做了些什麼，隨行人員就有人向始皇作密報，再加上地方官的反映，扶蘇的整個行程，無論鉅細事情，他全瞭如指掌。

始皇此刻的心情是喜怒參半。喜的是這個外表俊美看似柔弱的兒子，內裡卻遺傳了他性格上所有的優點，處事明快果斷，不受傳統慣例限制，而且比他更強的是他外圓內方，所作的決定人人樂意接受；所到之處，好評像潮水一樣湧到咸陽他的耳中。

怒的是他敢於擅作主張，無形中就中止焚書令，不讓地方官再雷厲風行的徹底追查下去。

有了這麼個超越（違背得不露痕跡）自己的兒子，始皇心裡矛盾得很。

等到扶蘇報告完畢，起立復座後，始皇微笑着說：

「扶蘇，一去就是幾個月，這次辛苦了你。」

「爲父皇辦事，兒臣怎麼敢說辛苦。」扶蘇謙讓。

「如今有賴我兒能幹，各地風潮大致平定，咸陽這方面，愚儒裝神弄鬼，以古非今挑撥黔首的案子也已結案。」

「有多少人受到株連？」扶蘇關心的問。

「不多，」始皇笑笑說：「四百六十多人。」

「準備怎麼處理？」扶蘇關心的問。

「丞相和廷尉擬議的是『坑殺』。」

扶蘇避席頓首，急忙勸諫：

「父皇，千萬不可，現在天下初定，而這些人都是各地精神和輿論領袖，殺了他們會引起黔首不安。」

「這些人其中有以裝神弄鬼欺騙朕的，也有以古非今誹謗朕，不嚴加懲治，如何警告天下！」始皇氣憤的說。

扶蘇本來想另外找時間詳細禀奏民間疾苦，但情急之下，顧不得始皇情緒的好壞，他侃侃直言，將所見的嚴法峻刑所產生的流弊全都合盤托出。

始皇臉色鐵青，不發一言的靜靜聽着，額頭中間直通髮際的青筋激烈跳動，這是他即將狂怒的前兆。

但扶蘇決心不顧一切將話講完，最後他淚流滿面的哭諫說：

「父皇日夜為天下黔首操勞，但經過層層扭曲以後，造成的卻是這樣惡劣的後果！」

「我兒，很多事情現在你還不懂，」始皇盡量壓住怒氣說：「民可使由之，不可使知之，一百個人有一百個意見，你到底聽誰的？而且聲音叫得越大的，往往是越沒有痛苦的人，所以統治者應該有自己的主見！」

始皇習慣性的站起來在室內走動，一邊向扶蘇說話，也像是自言自語：

「愚儒以古非今，認為應該分封，卻不想這是戰禍的根源，他們根本是閉着眼睛在瞎吵。黔首怪朕不該動用這麼多人力，但堯舜以來，鬧了多少次饑荒，餓死了多少人，他們計算了沒有？朕修道路，興水利有什麼不對？」

始皇走到跪着仰視他的扶蘇面前，注視他怒聲的說：

「天下都拿修築長城和移民實邊的事來指責朕，他們應該到北邊去看看，那裡的黔首過的是什麼日子！天天生活在死亡的陰影下，幾年辛苦所得的一點成果，一天就可以為匈奴全部拿走，不徹底解決這個問題，匈奴之禍就會逐漸蔓延到內地來，他們不懂，你是朕的長子，你應該懂！」

始皇越說越氣憤，但突然停住，聲音變得出奇的柔和：

「扶蘇，朕命你去上郡監蒙恬軍，看看眞正的民間疾苦，還有，學習一點軍事，對你將來會有好處！」

始皇終於還是照丞相和廷尉所議——坑殺了那四百六十名儒生。

〔請繼續閱讀第五部·亢龍有悔之卷〕

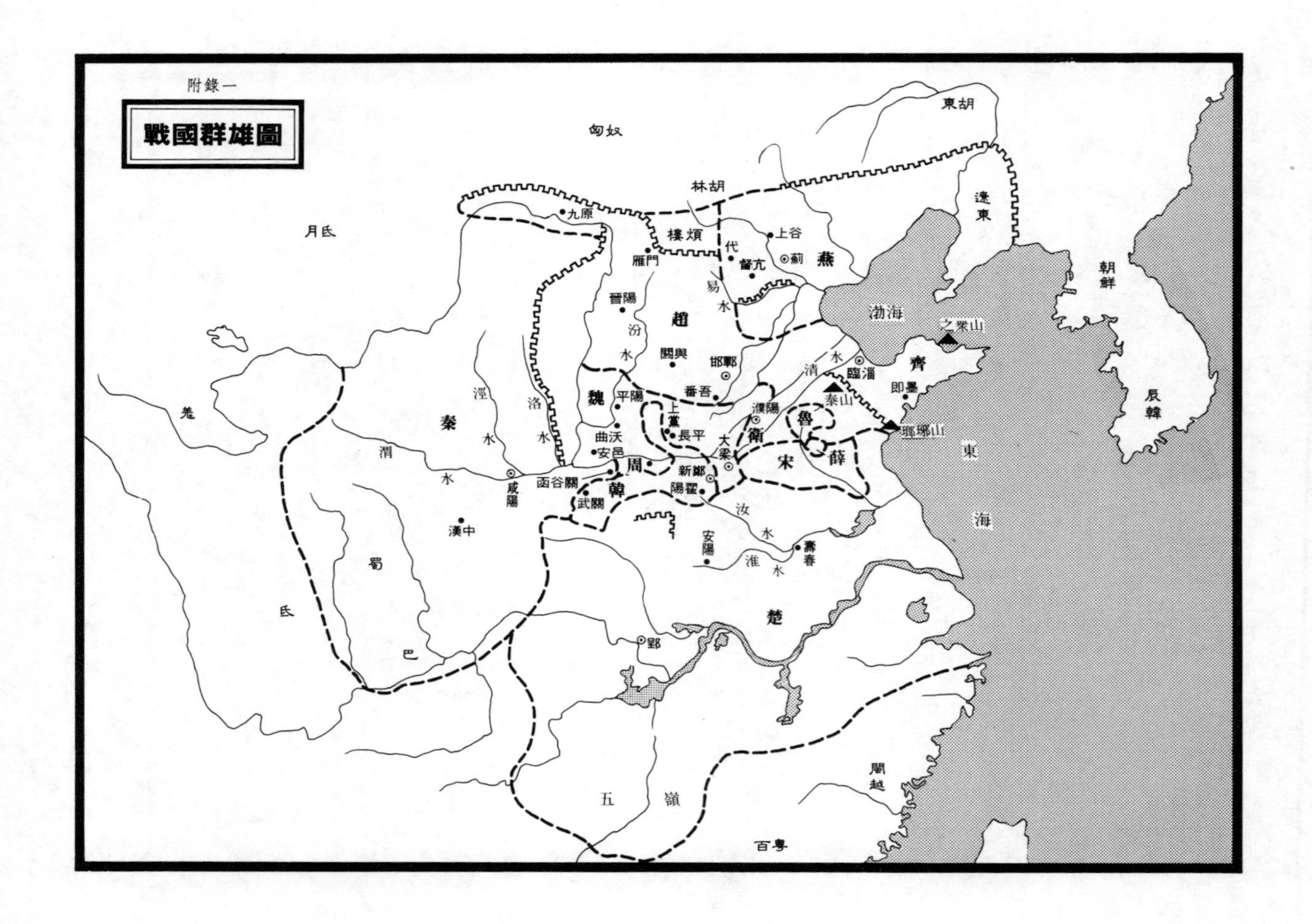
附錄一
戰國群雄圖
匈奴
東胡
林胡
月氏
九原
樓煩
雁門
代
上谷
薊
燕
督亢
易
水
晉陽
趙
汾
水
遼東
朝鮮
渤海
之罘山
齊
臨淄
即墨
辰韓
羌
秦
涇
水
洛
水
魏
平陽
閼與
邯鄲
番吾
上黨
長平
濮陽
衛
大梁
清
水
泰山
魯
薛
宋
琅琊山
東
海
渭
水
咸陽
函谷關
曲沃
安邑
周
韓
新鄭
陽翟
武關
漢中
汝
水
安陽
淮
水
壽春
蜀
氐
巴
楚
郢
五
嶺
閩越
百粵

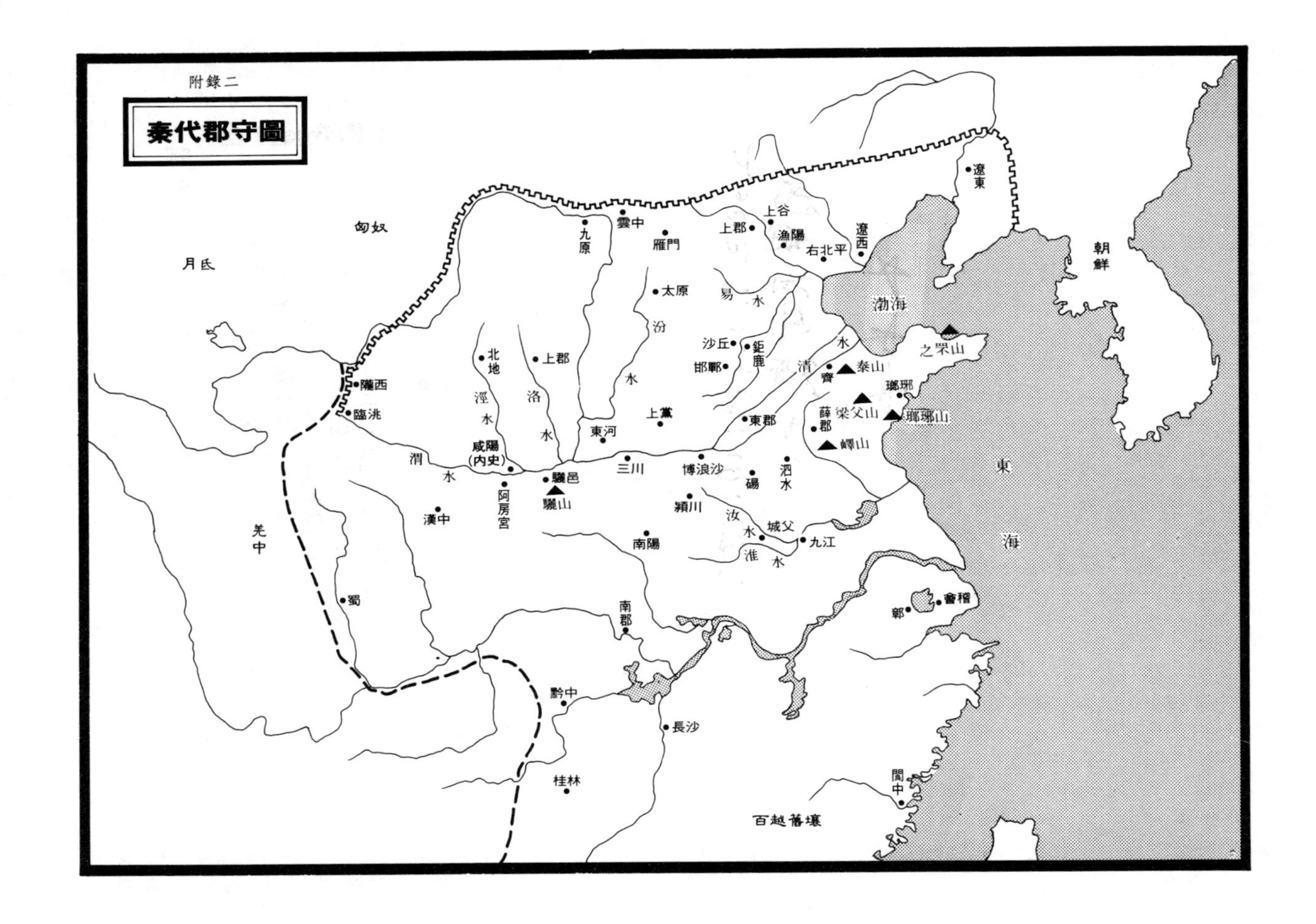
附錄二
秦代郡守圖
匈奴
月氏
羌中
隴西
臨洮
北地
上郡
九原
雲中
雁門
上郡
上谷
漁陽
右北平
遼西
遼東
朝鮮
渤海
太原
易水
汾水
沙丘
鉅鹿
邯鄲
上黨
東河
涇水
洛水
渭水
咸陽(內史)
阿房宮
驪邑
驪山
三川
博浪沙
碭
泗水
潁川
汝水
城父
淮水
九江
南陽
漢中
蜀
南郡
黔中
長沙
桂林
清水
東郡
齊
泰山
之罘山
琅琊
琅琊山
梁父山
薛郡
嶧山
東海
鄣
會稽
閩中
百越舊壤

國立中央圖書館出版品預行編目資料

秦始皇大傳／李約著，--初版，--臺北市；
實學社出版：吳氏總經銷，84
冊；　　公分--(小說人物；1-5)
ISBN 957-9175-01-2(--套；平裝)
ISBN 957-9175-07-1(一套；精裝)

857.7　　　　　　　　　　84000813